DIEGO

MARIE REDONNET

DIEGO

LES ÉDITIONS DE MINUIT

© 2005 by Les Éditions de Minuit
7, rue Bernard-Palissy, 75006 Paris
www.leseditionsdeminuit.fr

ISBN 2-7073-1926-0

La crique d'Ambre

J'ai dormi presque tout le temps pendant la traversée.
J'ai eu le mal de mer, pourtant la mer était calme. Je
ne voulais penser à rien, surtout pas à ce que je venais
de quitter et pas encore à ce qui allait m'arriver en
France. Le patron du bateau m'a débarqué au milieu
de la nuit tout au fond de la crique d'Ambre. Il m'a dit
que c'était la crique la plus sûre. Je n'ai qu'à me cacher
dans le bois de pins et attendre la venue du jour. La
crique d'Ambre est peu fréquentée à cause de sa difficulté d'accès. En suivant le chemin qui monte à travers
la falaise, j'arriverai à la route qui mène à la gare. J'ai
marché sur le chemin, puis je me suis étendu sur des
épines de pin, un peu à l'écart. Ça sent bon la résine
et la mer. J'entends le clapotis des vagues en contrebas
dans la crique. Par chance, c'est la pleine lune. En
débarquant, je n'ai pas eu besoin d'utiliser ma lampe
de poche. Mieux vaut ne pas me faire repérer. De là
où je suis, je domine la crique. Tout est calme.

J'essaie de me détendre en respirant par le ventre,
comme je le faisais en prison quand la crise m'assaillait.

Je me répétais : « Diego, détends-toi, tu ne vas pas mourir, c'est seulement une crise d'angoisse ». Presque toutes les nuits, la crise m'assaillait, m'empêchant de dormir. Je marchais dans ma cellule avec l'impression de devenir fou. Elle était tellement petite que je me cognais la tête contre les murs. La douleur à la tête alors me calmait un peu. Je me recouchais sur mon matelas et je faisais ma respiration par le ventre.

Je ne suis plus en prison, j'ai quitté Tamza et je viens d'arriver en France. Mais l'angoisse est toujours au fond de moi. Je me répète : « Je suis un homme libre ». Je sais bien que ce n'est pas vrai. Je suis arrivé en France sans visa. Je suis un clandestin. Je n'ai pas passé la douane. Je ne suis pas enregistré sur le territoire français. Je suis libre tant que la police ne me demande pas mes papiers. Je ne peux pas vivre en France normalement. Je dois y vivre comme un clandestin. À Tamza, avant la prison, j'ai vécu dans la clandestinité. Je sais ce que c'est. Mais à Tamza, j'étais chez moi. Ici, je suis dans l'inconnu. Mieux vaut peut-être l'inconnu que les faux repères de Tamza. Je me suis fait arrêter une nuit où je me croyais si tranquille dans les bras d'Ama, qui m'avait rejoint dans ma nouvelle cachette. Quelqu'un m'avait donné. Je ne sais pas qui. Je n'ai pas cherché à le savoir. Qu'est-ce que ça aurait changé à ma vie en prison ? J'avais juste assez de force pour rester en vie jour après jour. Ama n'a pas été arrêtée. Elle n'a pas supporté notre séparation. Je ne savais pas qu'elle était si fragile. Je l'aimais si fort, ça m'en rendait fou. Elle me disait : « Si tu m'aimes si fort, pourquoi entrer dans la clandestinité et risquer ta vie ? Partons loin de Tamza et refaisons notre vie ailleurs. Jamais vous ne gagnerez ! Vous vivez dans un rêve. Tu dis que tu m'aimes plus que tout au monde et tu préfères ton rêve à la réalité de notre amour ». Elle ne croyait qu'aux solutions individuelles. Elle a quitté Tamza pour aller refaire sa vie dans un autre pays. Elle m'a abandonné sans même m'écrire une lettre d'adieu.

C'est drôle que je pense à elle juste à mon arrivée en France. Je l'avais complètement chassée de ma mémoire. Même en rêve, je ne la revoyais plus. C'est ça que j'appelais l'avoir tuée. Et voilà qu'elle est redevenue vivante, comme si elle était à mes côtés. Je sens son odeur et sa chaleur tout contre moi. Ama mon amour, non, je ne t'ai pas tuée, je n'ai pas eu cette cruauté. Penser à elle, à ce que nous avons vécu ensemble de si heureux, me fait du bien, bien plus que ma respiration par le ventre que je n'ai jamais su faire correctement et qui n'arrive pas à me détendre. J'ai vécu durant toutes ces années de prison dans un état limite. Peut-être qu'Ama, tout au fond de moi, alors que je la croyais morte, continuait de vivre dans un petit coin inaccessible à ma conscience et m'aidait à rester en vie envers et contre tout ?

Couché sur ces épines de pin et revivant si soudainement mon amour pour Ama, j'éprouve une bouffée de bonheur, comme si je me retrouvais moi-même, intact, avant la prison. Même si ce n'est qu'un rêve, il me donne un peu de la force dont j'ai tant besoin. Car je sais bien que pour un clandestin arrivant en France, sans argent et sans ami, la vie sera une épreuve. Ama dirait que je l'ai cherché. Rien ne m'obligeait à entrer dans la clandestinité pour continuer la lutte. Je pouvais très bien quitter le Mouvement et partir avec elle loin de Tamza pour mener une vie d'exilé, comme il y en a tant. Malgré la force de mon amour, j'ai refusé de m'exiler. J'ai choisi la clandestinité et ce qui s'en est suivi, jusqu'à mon arrivée en France. Cet homme-là, je le comprends maintenant, Ama l'a quitté pour rester elle-même. Ça ne veut pas dire qu'elle m'aimait moins que je l'aimais, ni qu'elle a trahi notre amour en me quittant et en partant vivre loin de Tamza.

Le ciel commence à s'éclaircir. Le jour est proche. Le soleil se lève de l'autre côté de la falaise, côté terre. De là où je suis, je ne pourrai pas assister à son lever, ni voir sa grosse boule rouge apparaître soudain à l'horizon et illuminer le ciel. Mais au-dessus de moi, je peux voir apparaître une lumière rose, de plus en plus forte. Bientôt, la crique d'Ambre ne sera plus dans l'ombre. Les oiseaux nichés dans le bois de pins se réveillent. Si j'étais croyant, je ferais une prière pour saluer le lever du jour. Ama me reprochait de ne jamais prier. Pour elle, c'était un crime. Dieu existait puisqu'elle y croyait et faisait sa prière. Chaque matin, au lever du jour, en le bénissant, elle lui donnait vie. Elle me disait qu'en niant Dieu, je niais la vie. Je lui répondais que Dieu n'avait pas besoin d'exister pour que l'amour existe et que c'était à l'amour qu'il fallait donner vie, pas à Dieu. Ma réponse ne la satisfaisait pas, mais elle la rassurait. En prison, sans Dieu et sans amour, puisque je croyais avoir tué Ama, j'ai vécu dans un désert, un désert de pierre où même l'eau des puits était saumâtre. La boire brûlait l'estomac et tordait les boyaux, mais c'était la condition pour rester en vie. La prison, ce fut ce désert de pierre, sans aucune oasis pour se reposer un moment. Et une marche épuisante qui m'apparaissait sans fin. J'étais condamné à perpétuité.

Alors que je ne l'espérais plus, je fus miraculeusement gracié. Quelques jours après ma sortie de prison, j'embarquais pour la France. Il n'y avait pas de place pour moi à Tamza. Si une chance me reste encore de recommencer ma vie, c'est en France, pas à Tamza. Je fais, des années plus tard, seul et clandestinement, ce qu'Ama aurait voulu que je fasse avec elle. Mais pour moi maintenant, ça revêt une tout autre signification. C'est une décision solitaire qui ne concerne et n'engage que moi-même.

Je regarde le chemin tracé dans la falaise qui rejoint la route. Il va falloir que je réussisse à le monter. Je ne suis plus entraîné à la marche. En prison, j'ai vieilli d'un coup. Je tournais en rond dans ma cellule et une fois par semaine dans la cour entourée de murs. Découragé, je m'arrêtais. Certains détenus s'entraînaient pour rester en forme. Moi, je n'avais ni la volonté ni la force. Je faisais le minimum, juste le minimum.

J'hésite à me lever. La crique d'Ambre me semble être un lieu de paix. Je ne me lasse pas de la regarder. Il faut pourtant que je me décide à partir. Un inconnu couché juste au-dessus de la crique risque d'attirer l'attention. Je ne dois pas être le premier clandestin à arriver par cette crique. Combien se sont fait arrêter dès leur arrivée, alors que la traversée s'était bien passée et qu'ils avaient relâché leur vigilance, se croyant à tort en sécurité ?

J'ai eu raison de m'inquiéter. J'entends soudain des pas et une voix qui appelle : « Syge, où es-tu ? Syge, reviens ! ». Je n'ai pas le temps de me cacher. Une femme vêtue d'un vieux jean rapiécé et d'un pull marin, les cheveux ébouriffés et l'air mal réveillé, s'approche de moi. Je ne sais pas si elle s'aperçoit de ma peur. Elle fait comme si c'était normal que je sois là, couché à côté de mon sac à dos. Elle me sourit et puis elle me dit, d'une voix un peu cassée : « Excusez-moi, je cherche mon chien. Il s'est échappé cette nuit par la fenêtre ouverte. Vous ne l'auriez pas vu ? ».

Elle a l'air vraiment désemparé. Je suis désolé de ne pas avoir vu son chien. S'il était dans les parages, je l'aurais sûrement entendu. Elle me dit : « Ça fait quelque temps qu'il avait envie de partir. Mais je croyais qu'il n'arriverait pas à me quitter. Son désir a été le plus fort. Je ne sais pas pourquoi il ne se plaisait pas ici. Il a toujours habité Paris où il avait ses habitudes. Un jour, je lui ai dit qu'on allait partir. J'avais assez économisé pour louer un cabanon dans le bois de pins qui domine la crique d'Ambre. C'était mon rêve depuis qu'un jour en bateau j'avais découvert cette crique. J'ai mis longtemps à réaliser mon rêve, mais j'y suis arrivée. La propriétaire du cabanon est maintenant trop vieille pour y venir le week-end et elle avait demandé à l'épicier du village de lui trouver un locataire. J'ai eu de la chance d'arriver au bon moment. C'est un emplacement unique, le cabanon domine toute la crique d'Ambre. Mon chien était trop vieux pour s'habituer à un tel changement. Il a dû vouloir retourner à Paris. S'il ne revient pas de lui-même, je ne le retrouverai pas. Il est trop malin pour se faire prendre. J'y étais très attachée, depuis le temps que je vivais avec lui. Vous voulez venir prendre un café ? Mon cabanon est à deux pas. »

Contrairement à toute prudence, j'ai accepté son offre. Ça m'a paru naturel d'accepter. Si j'avais refusé, qu'est-ce qu'elle aurait pensé de moi ? Ce n'est pas une femme ordinaire. Très vite après m'avoir servi le café, avec du pain et des confitures, elle m'a dit de ne pas m'inquiéter. Je ne suis pas le premier clandestin à arriver par la crique. « Il y en a de plus en plus. Jusqu'à maintenant, la police a trop à faire ailleurs, mais ça ne va sûrement pas durer. Ils ont un air si soucieux quand ils montent le chemin de la falaise. Je les vois depuis le cabanon, mais eux ne me voient pas, mon cabanon est caché derrière le bosquet de lauriers. Je leur souhaite bonne chance. Qui sait ce qui les attend ? La France est de moins en moins une terre d'accueil. Ça me fait plaisir que vous ayez accepté de venir boire une tasse de café. Je craignais de vous avoir fait peur. Vous n'avez rien à craindre. Pour moi, la France reste une terre d'asile. Ceux qui font une traversée périlleuse pour venir y vivre ont le droit d'y tenter leur chance. C'est ce que je pense. Si je peux faire quelque chose pour vous aider, je le ferai, n'hésitez pas à me le demander. Je suis si bien depuis que j'habite ici. Je ne souffre pas de la solitude, je m'y suis habituée depuis longtemps. Je me suis mise à écrire une histoire qui n'est pas la mienne, mais qui me possède complètement. Je ne vois pas le temps passer. Quand je sens que j'en ai assez, je descends à la crique me baigner. Il y a souvent un pêcheur qui m'invite à venir avec lui en mer. Ils me connaissent et sont contents que j'habite le cabanon. Ce sont mes amis, même si je garde mes distances. Je ne suis pas liante et eux non plus. Je reste une étrangère, même s'ils m'ont adoptée. Il y a des limites à ne pas franchir. Ils n'habitent pas loin, je peux compter sur eux. »

Elle ne m'en dit pas plus sur elle, pensant sans doute qu'elle a déjà trop parlé. Je ne sais pas quel âge elle a, sûrement plus qu'elle ne paraît. Son sourire illumine son visage et il semble y avoir en elle une si grande bonté qu'on oublie son âge. Ses yeux sont aussi bleus que la mer. Elle est belle au-delà des apparences dont elle ne se soucie pas. Elle force le respect. Elle me propose de rester un jour ou deux dans son cabanon, le temps de me reposer. Je lui raconte brièvement ma vie, afin qu'elle sache un peu quel genre d'homme elle accueille.

Ces deux jours sont comme un rêve. Je reste des heures à somnoler sur le rocking-chair de la terrasse qui domine la crique. Je vais me baigner juste avant que le soleil ne se couche, au moment où l'eau est la plus chaude. Je suis étonné moi-même de savoir encore si bien nager, sans me fatiguer. Pour la première fois depuis mon arrestation, je me laisse aller, détendu, abandonné. Ce contact avec la mer dont j'ai été si longtemps privé en prison est comme une renaissance. La nuit que je passe au cabanon, je fais l'amour avec elle jusqu'à l'épuisement. Depuis ma dernière nuit avec Ama, je n'avais plus jamais serré de femme dans mes bras. Cette nuit-là, je ne l'oublierai jamais. C'est comme une nuit de noces.

On va se baigner une dernière fois avant mon départ et puis on se dit au revoir juste au bord du chemin qui monte en haut de la falaise. Alors seulement elle me dit son nom, Rita, et je lui dis le mien, Diego. Elle me souhaite bonne chance. Si j'ai envie de revenir au cabanon passer quelques jours, je serai le bienvenu. Elle compte finir sa vie à la crique d'Ambre et vivre de ses livres. Celui qu'elle est en

train d'écrire est presque fini. Elle a confiance. Il sera
édité et il trouvera des lecteurs.

Elle ne m'a rien fait lire de ce qu'elle écrit. Elle
rêve peut-être qu'elle écrit, comment savoir ? Tout en
elle m'a paru hors du commun. Après toutes ces
années de prison et arrivant en France pour la première fois, une telle rencontre, aussi banale soit-elle
dans sa réalité, ne peut m'apparaître qu'extraordi-
naire ! Elle m'a dit qu'en son absence, la clé du cabanon est dans une petite boîte cachée derrière le tas
de bois. C'est sa dernière phrase, avant de me quitter,
sans se retourner.

Le garage de l'Avenir

Le train s'est arrêté juste deux minutes à la gare d'Ambre, une petite gare située à un kilomètre du village, au milieu du maquis. Le chef de gare a fait semblant de ne pas me voir. Il a sûrement deviné que je suis un clandestin qui vient de débarquer à la crique. La nuit dans le train me paraît longue. Je n'arrive pas à dormir. Ce n'est pourtant pas la position assise qui me gêne. Depuis la prison, aucune position ne m'est vraiment inconfortable. Mais je ne peux pas me détacher de la crique d'Ambre. J'ai l'impression qu'elle fait partie de moi et que je la connaissais déjà avant d'y arriver. Je remercie le passeur d'avoir choisi cet endroit pour me faire débarquer. Il en sait sur moi plus que j'en sais moi-même.

Arrivé à la gare de Lyon, je prends directement le métro, puis le RER jusqu'à Loisy. Lili n'a jamais été en France. Pourtant elle a préparé mon voyage comme si elle la connaissait. Grâce à Internet auquel elle est branchée depuis qu'elle s'est acheté un vieil ordinateur d'occasion, elle reste reliée directement à Amid

17

qui vit à Loisy. Elle m'a demandé d'aller le voir dès mon arrivée en France. Amid est quelqu'un de sûr qui pourra me guider. J'ai besoin d'un premier contact et la recommandation de Lili m'est précieuse.

Amid, elle l'appelle son fiancé. Il y a longtemps, il est parti en France tenter sa chance. Il a maintenant un garage et un pavillon à Loisy, dans la banlieue nord de Paris. Lili n'a jamais voulu quitter Tamza, alors elle a renoncé à se marier avec Amid qui a fait sa vie en France. Mais elle n'a pas renoncé à son amour pour lui. Avant d'avoir son ordinateur et d'être reliée à lui par Internet, elle lui écrivait des lettres, une chaque semaine, où elle lui racontait tout ce qui était important pour elle et qu'elle ne disait à personne. Il lui répondait régulièrement, quelques mots sur une carte postale. Les cartes postales d'Amid sont le trésor de Lili. Grâce à Lili, Amid n'a pas tout à fait quitté Tamza. Il n'a pas besoin d'y revenir. À cause de son garage qui lui prend tout son temps (il dit à Lili qu'il faut qu'il soit toujours là, sinon les clients iront ailleurs, la concurrence est de plus en plus féroce), il ne peut pas prendre de vacances. Peut-être Lili prefère-t-elle ne pas le voir, pour le garder intact dans son rêve ?

Lili est la sœur cadette de ma mère qui s'appelait Ama, comme mon amour. Ama est morte quand j'étais en prison. En la perdant, Lili a perdu une partie d'elle-même. Elle est pour moi comme le double d'Ama. Petit, quand j'étais avec Ama, j'étais aussi avec Lili. Elles ne se quittaient pas. Ama ne m'a jamais parlé de mon père, comme s'il n'existait pas et qu'elle m'avait eu seule. J'avais deux mères qui se ressemblaient comme deux jumelles, et pas de père. Ça me créait un malaise, dont je ne parlais pas, car Ama en aurait eu du chagrin et je ne voulais surtout pas lui faire de peine. Elle vivait dans l'amour de moi.

Quand j'ai rencontré Ama qui portait le même nom qu'elle, ma mère l'a aimée comme si elle était sa fille. Elle lui a dit : « Quel bonheur, il me manquait une fille et mon fils m'en donne une ». J'y pense tout à coup : si Ama voulait tant quitter Tamza avec moi, c'était peut-être pour ne plus être la fille d'Ama, pour être seulement Ama, mon amour ? En choisissant la clandestinité, je croyais agir en homme, mais j'étais peut-être encore, sans le savoir, un enfant. Ama avait approuvé ma décision. Comme Lili, elle adhérait au Mouvement et ne voulait pas renoncer à la lutte, même si pour cela son fils devait entrer dans la clan-destinité. Mais quand j'ai été condamné à perpétuité et que mes camarades les uns après les autres ont été arrêtés et condamnés, elle a perdu l'espoir et la raison. Lili n'a rien pu pour elle. On l'a retrouvée noyée un matin sur la plage de Tamza. Son corps avait été ramené par la marée, là où elle avait l'habitude avec Lili d'aller se baigner.

Je n'ai pas de regret d'aller directement à Loisy, sans avoir rien vu de Paris. Avec le peu d'argent que j'ai (les économies de Lili qu'elle a tenu à me donner pour mon départ en France), j'aurais tout dépensé à Paris en quelques jours. Paris, ce sera pour plus tard. Je ne suis pas venu en France pour visiter Paris. Je ne suis pas un touriste, mais un clandestin qui tente de refaire sa vie en France. Paris, j'y serais complètement perdu et je m'y noierais, aussi sûrement qu'Ama dans la mer.

Loisy est la dernière station avant le terminus. Depuis le RER, je découvre la banlieue nord. Le ciel est presque noir, j'ai l'impression qu'il va me tomber sur la tête. Je suis à des années-lumière de la crique d'Ambre et pourtant une nuit de train seulement m'en sépare. Dans le wagon de tête où je suis monté, il y a beaucoup d'immigrés. Certains comme moi sont peut-être des clandestins. Est-ce que je leur ressemble ? Je ne sais même plus à quoi je ressemble, comme si j'avais perdu mon image. Dans le cabanon de Rita, il n'y avait aucun miroir. Pour mon départ en France, Lili m'a acheté des vêtements d'occasion qui ont l'air neuf. Ils me vont bien. On dirait que Lili sait exactement comment on doit s'habiller quand on va à Loisy. Je porte les mêmes vêtements que les voyageurs du wagon de tête

Si je n'étais pas un clandestin, mais un travailleur immigré avec des papiers en règle, j'aurais pu venir à Paris en car. Il y a un car chaque vendredi qui relie Tamza à Paris. Il arrive à Paris le lundi dans la nuit. Lili connaît les horaires par cœur. Elle se dit qu'elle peut toujours venir rejoindre Amid si un jour il l'appelle à son secours. À cette condition seulement, elle quittera Tamza. Elle vit peut-être dans cette attente dont elle ne parle pas.

Je me retrouve seul devant la gare de Loisy, sans savoir dans quelle direction se trouve le garage d'Amid. Je marche jusqu'à la station de bus. Quand le bus arrive enfin, je demande au chauffeur comment je dois faire pour aller au garage d'Amid, à l'adresse que Lili a écrite sur un petit papier. Le chauffeur me dit de traverser la route et de prendre le même bus, en sens inverse. Je dois descendre à l'arrêt numéro 12. Je ne peux pas le rater, c'est écrit en grosses lettres peintes, à l'entrée du garage : garage de l'Avenir. Lili a oublié de me dire comment s'appelle le garage d'Amid.

Une demi-heure plus tard, je suis devant le garage de l'Avenir. C'est un vieux garage avec un grand terrain attenant où s'entassent des carcasses de voitures rouillées. Il y en a de toutes les marques et de tous les modèles. Amid vend les voitures en pièces détachées. Je reste un moment immobile, cherchant à me rappeler où j'ai bien pu voir ce garage. Et puis ça me revient soudain. Le garage d'Amid ressemble au garage que j'ai vu autrefois dans un vieux film, au ciné-club de Frère Tian. Le titre du film était *Le garage de l'Avenir*. Amid fréquentait-il aussi à cette époque le ciné-club de Frère Tian ?

J'appelle pour demander s'il y a quelqu'un. Un

homme aux cheveux blancs, le visage mat et fin, sort du fond du garage, les mains pleines de cambouis. Il me dit : « C'est vous, Diego ? ». Je lui réponds que oui. Il me conduit à son pavillon, invisible depuis la route, un petit pavillon de banlieue comme j'en ai vu depuis le RER. Il me fait entrer dans le salon, meublé, comme il me le précise fièrement, avec un canapé et des fauteuils tout neufs achetés chez Conforama. Il a l'air fier de son salon. Il m'offre un verre de vin et il me demande des nouvelles de Lili.

Puis il me dit, d'une voix qu'il veut ferme : « C'est la première fois que je reçois un clandestin dans mon pavillon. Je ne veux pas avoir d'ennui avec les gendarmes qui viennent sans cesse fouiller dans mon garage. Je fais une exception pour toi à cause de Lili. Tu sais ce qu'elle représente pour moi. Mais je ne peux pas te garder au pavillon. Je suis trop surveillé et ici tout se sait. Pour les gendarmes de Loisy, un clandestin qui débarque de Tamza est un terroriste ou un ami des terroristes. C'est leur obsession. Ils en voient partout. Lili m'a dit qui tu étais. Je sais que tu n'es pas un clandestin comme un autre. Mais pour moi ça ne change rien, à cause des gendarmes. Ils seraient trop heureux d'avoir enfin quelque chose de concret à me reprocher. Alors voici ce que je te propose. J'ai beaucoup réfléchi à ce qui serait le mieux pour toi pour commencer. Tu n'arrives pas au bon moment. Tu vas passer la nuit ici. On dînera ensemble ce soir, ça sera l'occasion de se parler et de faire connaissance. Et puis demain, tu iras te présenter à l'ancienne gare de Loisy, juste à l'orée du bois. Elle est désaffectée depuis qu'il y a le RER. Elle a été squattée par Aigle d'Or. Il y vit avec Lola, sa fille, et quelques clandestins comme toi qui sont ses protégés. Je connais bien Aigle d'Or parce qu'il vient toujours chez moi faire réparer sa vieille Mercedes. Je lui rends aussi quelques services. Comme toi, il s'est engagé dans le Mouvement quand il était jeune. Il est parti en Afrique où il a séjourné longtemps avant de revenir en France. C'était un ami du président Bogumbo avant qu'il ne se fasse assassiner. Après, il a dû changer de vie. Je suis sûr qu'il va s'intéresser à toi et qu'il aura quelque chose à te proposer. L'ancienne gare de Loisy et le grand terrain qui en dépend sont son domaine. Les gendarmes n'y vont jamais. Aigle d'Or est l'ami du commissaire. S'il accepte de te prendre sous sa protection, tu es tiré d'affaire. Je ne lui ai jamais envoyé personne. Alors tu vois que je m'intéresse à toi et que je te fais confiance. Maintenant, il faut que je retourne au garage finir un travail. Un client vient ce soir à huit heures et il serait furieux de ne pas trouver sa voiture prête. Installe-toi, tu es ici comme chez toi. Il y a une chambre libre au premier, juste en face de la mienne, pour les amis de passage. Je vis seul, je ne me suis pas marié. Une femme m'encombrerait avec le travail que je fais. À ma façon, je reste fidèle à Lili. »

Amid a été amical avec moi, même s'il ne peut pas m'héberger plus d'une nuit. Je comprends qu'il ait peur des gendarmes. Quand on vient de Tamza et qu'on est un clandestin, on est un suspect. Tamza et sa région sont devenus une plaque tournante pour de nombreux trafics et un lieu d'accueil pour les terroristes. Amid m'a fait comprendre qu'avec son garage, il rend des services. Il n'a pas envie que les gendarmes s'en mêlent. Il n'a sûrement pas envie non plus que je sache ce qu'il fait. Il est resté très discret.

Il pense peut-être qu'avec mon passé dans le Mouvement, j'ai gardé des relations qui pourraient être gênantes pour lui. Il ignore que j'ai perdu tous mes contacts. La prison de Fort Gabo a été un isolement complet. On a profité de ce que j'avais agressé un gardien pour me transférer de Tamza à Fort Gabo, en plein désert, et me mettre avec les droits communs. À partir de ce jour-là, le médecin de la prison m'a ordonné un traitement à prendre chaque matin à l'infirmerie. L'infirmier vérifiait chaque jour que j'avais avalé mes pilules. Avec ce médicament, j'étais devenu inoffensif. On pouvait me taper dessus, m'humilier et m'insulter, je ne réagissais plus. À Fort Gabo, au milieu des prisonniers de droit commun, je vivais avec la tête vide et l'impression d'être un mort-vivant. À ma sortie de prison, je n'ai pas eu envie de chercher à revoir mes anciens camarades. J'avais tellement honte de ce que j'étais devenu. J'imaginais qu'ils avaient dû savoir résister la tête haute et vivre ces années de prison comme une épreuve régénératrice. Je n'ai jamais été sûr de moi. L'amour d'Ama, je ne m'en jugeais pas digne. C'est pour ça aussi que j'avais choisi d'entrer dans la clandestinité plutôt que de partir avec elle loin de Tamza. Je pensais que la clandestinité ferait de moi un homme digne d'elle. C'est le contraire qui est arrivé puisque je me suis fait arrêter avant d'avoir pu me prouver que je n'étais pas ce que je croyais être au fond de moi. Un des gardiens m'humiliait chaque jour. Il ne cessait de me répéter : « Quand on est une mauviette comme toi, on n'est pas digne d'être dans le Mouvement ». C'est un miracle que je ne l'aie pas tué. Il y avait alors en moi quand je l'ai agressé une telle force que malgré ma constitution fragile j'étais sûr de pouvoir le tuer. Et puis soudain, j'ai eu un malaise et je me suis évanoui, entraînant dans ma chute le gardien qui n'était pas encore mort. Le médecin de la prison a prétendu que j'étais un fou dangereux. On m'a transféré à Fort Gabo, une prison à la sinistre réputation.

La fenêtre de la chambre d'amis donne sur le terrain où s'entassent les voitures rouillées. Beaucoup d'entre elles sont gravement accidentées. C'est un spectacle sinistre. Amid n'a fait aucun effort pour décorer la chambre qu'il prête à ses amis de passage. Les ressorts du matelas sont en mauvais état et grincent à chaque mouvement que je fais. J'attends l'heure où Amid doit me rejoindre dans un état de malaise. J'ai mal à la tête et des crampes à l'estomac. Pour me distraire, je compte le nombre de bus qui s'arrêtent devant le garage, dans les deux sens. Il y en a un toutes les demi-heures, dans chaque sens. Je note les heures. Qu'est-ce qu'Amid peut bien faire pour être si occupé dans son garage ? Les clients n'ont pas l'air nombreux.

J'essaie de me rappeler le film qui portait le nom du garage d'Amid. Je devais avoir douze ou treize ans quand je l'ai vu. Je crois me souvenir qu'il s'y passait un crime horrible, mais il ne m'en reste aucune image. Ama et Lili ne rataient aucune séance du ciné-club, chaque vendredi soir, et je les accompagnais toujours. C'est de là qu'est venue ma passion pour le cinéma. Frère Tian m'encourageait. Tout ce que je sais du cinéma, il me l'a enseigné en dehors des heures de cours. C'était mon professeur de latin au collège et il m'avait pris en amitié, peut-être parce que je ne ressemblais pas aux autres élèves. Il avait créé le ciné-club de Tamza dans une annexe abandonnée du collège et il avait réussi à y attirer ceux qui, comme Lili et Ama, étaient ignorants du cinéma. Quand je me suis engagé dans le Mouvement, j'ai pensé qu'après la révolution, je pourrais devenir cinéaste car chacun alors pourrait réaliser son désir. À ma sortie de prison, je n'ai pas été voir Frère Tian. Son ciné-club est fermé. Lili m'a appris qu'il était retourné vivre au Monastère, sur les hauteurs de Tamza.

Amid me rejoint enfin dans la chambre d'amis, me tirant ainsi de toutes ces longues heures d'effondrement. Il s'est changé et parfumé. Il a encore belle allure. Il n'a pas l'air de s'apercevoir de mon état. Il me dit d'un air enjoué : « Descendons vite au salon, le dîner est prêt. » Il a commandé à monsieur Chen, le traiteur chinois de Loisy, un repas complet et il a sorti de sa cave deux bouteilles de très bon vin, cadeau d'un client reconnaissant. Il en boit deux verres d'une traite pour se mettre en forme et j'en fais de même car j'en ai bien besoin. Je me sens mieux d'un seul coup et je dîne avec appétit. Amid me dit : « Pour les amis, monsieur Chen fait des plats spéciaux. Il a été cuisinier chez un seigneur de la guerre du temps où il vivait en Chine. » J'en conclus que monsieur Chen est, comme Aigle d'Or, un de ses clients à qui il doit rendre des services. Il me dit aussi qu'il a prévenu Aigle d'Or de mon arrivée et qu'il m'attend demain à neuf heures. Je ne veux pas penser à demain. Le vin me fait beaucoup d'effet et je profite du moment présent. Je suis reconnaissant à Amid de me recevoir comme un ami.

Je lui demande s'il connaît un vieux film qui porte le même nom que son garage. Il me regarde d'un air ému : « Alors tu t'en souviens ? Avec Lili, c'était notre film : l'histoire de deux amants en cavale qui s'arrêtent dans un vieux garage en vente et qui décident de l'acheter pour refaire leur vie. Le garage est tout près de la mer. Je me rappelle encore le bruit de la mer, quand ils faisaient l'amour toute la nuit devant la fenêtre grande ouverte. Et le vieux garagiste qui leur a vendu son garage, un fou, qui entre une nuit par la fenêtre ouverte pour les tuer, juste au moment où ils s'étreignent. Et puis qui met le feu à son garage et part se noyer dans la mer. Lili et moi, on faisait l'amour en pensant à ce film. On s'imaginait qu'un fou pourrait entrer par la fenêtre ouverte et nous tuer ainsi, en pleine étreinte. Quand j'ai acheté ce garage et que je l'ai appelé « le garage de l'Avenir », j'ai demandé à Lili de venir me rejoindre. Elle a refusé, parce qu'elle ne voulait pas quitter Tamza. Mais je ne crois pas que c'était la bonne raison. Elle avait peur qu'il nous arrive à Loisy ce qui était arrivé aux amants du film. Elle ne faisait pas la différence entre l'histoire du film et la réalité. »

Pour prolonger la soirée, Amid va chercher un vieux cognac, encore un cadeau d'un client reconnaissant. Il ne me fait plus de confidence. Il n'a plus besoin de parler. Je me laisse aller et lui confie le désir que j'ai de faire du cinéma. Avant d'aller se coucher, il me dit d'un air songeur : « Je suis content que tu sois venu à Loisy. Ce n'est pas parce que je ne peux pas t'héberger qu'on ne se reverra plus. On est amis maintenant. Tu es chez toi ici. Pour le cinéma, aies confiance. Aigle d'Or a travaillé dans le cinéma autrefois, avant de partir en Afrique. Il pourra te conseiller ». Il me dit que demain il doit se lever tôt parce qu'il a un rendez-vous à Paris. Il m'indique précisément le chemin pour aller à l'ancienne gare de Loisy. Puis il ajoute, avant d'aller dormir : « Et surtout ne sois pas en retard. Aigle d'Or ne le supporterait pas et tu trouverais la barrière fermée ».

L'ancienne gare de Loisy

Il n'est pas encore neuf heures quand j'arrive devant la barrière qui marque l'entrée de l'ancienne gare de Loisy. La barrière est fermée. Je pourrais la pousser car c'est une barrière symbolique. Mais je n'ose pas et préfère attendre. L'ancienne gare est située à l'extrémité de Loisy, en bordure d'un bois. Pour y arriver, il faut traverser une zone de terrains vagues. J'ai marché vite en regardant droit devant moi parce que je ne me sentais pas en sécurité. Les pavillons qui entouraient autrefois l'ancienne gare ont été démolis. Il fait froid et humide et le ciel est aussi noir qu'hier. Il règne autour de l'ancienne gare une impression de désolation. Lili a prévu que je risquais d'avoir froid car elle m'a acheté une parka bien chaude.

À neuf heures précises, un homme vêtu d'une salopette et d'un blouson en cuir, avec le crâne rasé et de petits yeux de taupe, vient ouvrir la barrière. Il me dit avec un fort accent : « C'est vous, Diego Aki ? ». Je suis donc bien attendu. Il me conduit jusqu'au bâtiment de l'ancienne gare où habite Aigle d'Or. Il occupe le logement de fonction de l'ancien chef de gare. Tout autour de l'ancienne gare, il y a des rails rouillés qui se croisent. Au bout du terrain, juste en lisière du bois, il y a trois vieux wagons. C'est là le domaine d'Aigle d'Or.

Il ne me reçoit pas dans son logement, mais dans son bureau, au rez-de-chaussée, le bureau de l'ancien chef de gare. Des dossiers traînent dans tous les coins, couverts de poussière. Aigle d'Or est grand et imposant, avec une tignasse de cheveux gris frisés qui lui retombent sur les épaules. Il a des yeux vert pâle et un regard rêveur. Ses gestes sont lents et théâtraux. Il m'invite à m'asseoir et me dit, sans préambule : « Alors, tu as passé toutes ces années en prison, pour une cause perdue ! Toi aussi, tu t'es fait avoir ! Foutu Mouvement qui nous a volé notre vie ! Amid a été plus malin que nous. Il t'a recommandé à moi. Je veux bien essayer de faire quelque chose pour toi, même si ce n'est pas le bon moment. Qu'est-ce que tu sais faire ? »

Je m'attendais à cette question et j'avais préparé ma réponse. Je lui dis que je n'ai jamais travaillé puisque je me suis engagé dans le Mouvement avant d'avoir terminé mes études au collège des Frères. J'ai appris le maniement des armes et des explosifs dans le désert, dans un camp d'entraînement. Je sais aussi me servir d'une caméra grâce à Frère Tian. J'aurais voulu devenir cinéaste si la révolution n'avait pas échoué. En prison, je n'ai pas travaillé. À Fort Gabo, on était trop faible et trop mal en point pour travailler, on croupissait au fond des cellules, abruti par le soleil.

En répondant à la question d'Aigle d'Or, je comprends ma misère : toute une vie à ne rien faire, sinon à se perdre ! Comment ai-je pu en arriver là ? J'ajoute encore, au cas où Aigle d'Or aurait des arrière-pensées à mon sujet : « Pour les armes et les explosifs, c'est fini pour moi. Je ne veux plus jamais m'en servir ».

Il me répond sèchement : « Alors, il ne te reste plus que le cinéma. Pourquoi pas ? Il te faudra être patient. Pour l'instant, tu as besoin d'un logement et d'un travail qui te rapporte un salaire. Pour le logement, il y a une place dans le troisième wagon. Tu me paieras le loyer à ta première paye. Pour le travail, je peux te proposer une place de gardien de nuit dans l'entrepôt de monsieur Abou. Tu travailleras avec Mateo qui habite aussi le troisième wagon. Il a besoin de quelqu'un pour le seconder et il te montrera ce qu'il y a à faire. C'est un travail de routine. Tu devrais bien t'entendre avec Mateo. C'est une tête brûlée comme toi. Jusqu'à maintenant, le troisième wagon était le wagon de Mateo. Maintenant, si tu acceptes mon offre, c'est ton wagon aussi. Mateo n'aura plus qu'un demi loyer à me payer. Il va être content. Si tu as besoin de quelque chose, tu demandes à Siegfried qui t'a accueilli ce matin à l'entrée. C'est mon homme de confiance, il veille sur l'ancienne gare, jour et nuit. Je vais te faire visiter mon domaine. C'est mieux que la prison, non ?

Il paraît que la SNCF, à qui appartient ce terrain, voudrait le récupérer pour le vendre à la municipalité. Le maire a le projet de faire une grande opération immobilière pour mettre en valeur ce quartier de Loisy qu'il a jusqu'à maintenant laissé à l'abandon, comme tu as pu t'en apercevoir. Ce quartier a mauvaise réputation, ça nuit à l'image du maire. Il a besoin de donner des gages pour les prochaines élections. L'ancienne gare est menacée. Je n'ai pas envie de partir. Je n'ai nulle part où aller. Je n'ai plus envie de recommencer ailleurs ». Il se tait, comme s'il n'arrivait plus à parler.

Ça ne me plaît pas d'accepter son offre, mais je n'ai pas le choix. Où irais-je si je quittais l'ancienne gare de Loisy ? Rita m'a invité à revenir au cabanon, mais ce n'est pas pour y vivre. Cette fois, je dois me méfier. L'ancienne gare de Loisy, j'en ai l'intuition, est un endroit miné. Il faut que je fasse attention où je mets les pieds. Je n'ai pas envie de tomber dans un piège. J'ai envie de m'en sortir. Je me répète plusieurs fois : « Je veux m'en sortir ». De m'être ainsi mis à nu devant Aigle d'Or dans ma plus grande misère a provoqué en moi un sursaut. Je ne peux plus continuer comme ça. Ça suffit. Je me surprends à me dire avec une autorité que je ne me connais pas : « Diego, arrête de jouer à perdre ta vie. Maintenant, l'heure est venue de penser à la sauver. » C'est le discours que m'aurait tenu Frère Tian si j'avais été le voir avant de quitter Tamza.

Aigle d'Or porte de superbes bottes à clous dorés avec des fers au talon qui font du bruit quand il marche, comme s'il annonçait sa venue. Il marche d'un pas décidé et fier. Je me demande comment il a pu échouer dans cette gare désaffectée. Le premier wagon est l'écurie de Sanson, son cheval. Il tient à me le présenter, un magnifique pur-sang au pelage noir brillant : « Je le monte tous les matins pour l'entraîner. Je compte le présenter bientôt aux concours hippiques. Il devrait gagner tous les prix. Je l'ai eu bébé, sa mère a eu un accident, on a été obligé de la tuer. » Il le fait descendre du wagon. Sanson se met à courir jusqu'à son enclos, en bordure du bois. Aigle d'Or me dit que le bois n'est pas sûr, encore moins que les terrains vagues, mais avec Sanson, il s'y aventure sans risque. Lola, sa fille, le monte aussi. Elle l'entraîne pour le saut. Elle se lève tard car elle chante la nuit au Bamako Palace. « Lola, ma fille, tout le monde ici lui doit le respect. » Il me le répète deux fois avec autorité pour que ça me rentre bien dans la tête. On passe devant le deuxième wagon, fraîchement repeint. Les locataires sont douze, ils travaillent le jour à l'entrepôt de monsieur Abou.

On est arrivé devant le troisième wagon, là où je vais habiter. Aigle d'Or a fini de me faire visiter son domaine. Avant de me quitter, il me dit encore : « Cette ancienne gare a une histoire. Pendant la deuxième guerre mondiale, des enfants furent entassés dans des wagons comme ceux-ci plusieurs nuits, juste à cet endroit, en attendant que leurs wagons soient rattachés à un train en partance pour l'Allemagne. Le chef de gare est mort en essayant de les sauver. »

L'ancienne gare de Loisy est habitée par de vieux fantômes, qui sont peut-être ceux d'Aigle d'Or. Il ressemble à un homme qui vit avec des fantômes.

J'entre sans faire de bruit dans le troisième wagon. Je suis surpris de le trouver si accueillant. Il y fait chaud et une petite lampe d'ambiance l'éclaire doucement. Les murs sont recouverts de tissus africains. Mateo m'attendait. Il me dit d'une voix douce : « Non, ne t'inquiètes pas, tu ne m'as pas réveillé. Aigle d'Or m'a annoncé hier soir ton arrivée. Je connais un peu ton histoire. Je sais que tu sors de prison et que tu viens de Tamza. Je suis heureux de partager ce wagon avec toi. Tout seul, je m'ennuyais. Tu es étonné des tissus africains dont j'ai recouvert les murs ? Je les ai achetés au marché de Loisy. Il y a beaucoup d'Africains qui vivent à Loisy. J'ai vécu longtemps en Afrique où mon père possédait une mine et un domaine. Mon grand-père, un aventurier qui avait la passion de l'Afrique, nous les avait laissés en héritage. Ça a très mal tourné pour moi, à cause d'un crime dont j'ai été faussement accusé, un complot pour me voler ma mine et mon domaine, et je me suis retrouvé sans rien. J'ai connu Aigle d'Or en Afrique, il était ami avec mon père du temps où il était conseiller du président Bogumbo. Quand je suis venu le voir ici à Loisy dans son nouveau domaine, il a accepté de me venir en aide. Il y a un mandat d'arrêt contre moi, à cause de ce crime dont on m'accuse, une sale histoire, comme tant d'histoires en Afrique. La police française me recherche pour me livrer aux autorités africaines. C'est pourquoi je vis ici en clandestin. Je ne veux pour rien au monde aller dans une prison africaine. Je peux compter sur Aigle d'Or. Tu as de la chance de le rencontrer en arrivant en France. Il ne cherchera pas à te voler ni à te faire chanter. Il te demandera seulement son dû. »

Il me montre mon lit qu'il a déjà préparé. J'ai un coin à moi séparé du sien par un rideau. C'est presque douillet. La moitié du wagon est notre partie commune. Je le remercie pour la gentillesse de son accueil. J'espère qu'on réussira à cohabiter sans se gêner et à bien s'entendre, surtout qu'on va travailler ensemble. Il me dit que maintenant que je suis arrivé, il faut qu'il dorme parce que ce soir, comme tous les soirs, on part travailler à l'entrepôt à sept heures. « Ne t'en fais pas et passe une bonne journée. Profites-en. Demain, tu feras comme moi, à cette heure-ci, tu seras obligé de dormir. »

Mateo a l'air content que je partage le wagon avec lui. Moi aussi, parce qu'il me semble de bonne compagnie. Quand on a passé tant d'années en prison, on commence à avoir du flair. Il m'a fallu du temps, mais maintenant je sens d'instinct ceux avec qui je peux me lier et ceux dont il faut que je me méfie, même si je les trouve attirants. C'était une de mes grandes faiblesses, je me liais toujours avec ceux qui exerçaient sur moi un pouvoir d'attraction. Je voulais devenir leur ami pour participer à leur aura, comme si j'étais en quête moi aussi d'une aura. Celui qui m'a donné et dont je ne me suis pas méfié, il devait avoir une aura. Si j'avais cherché, j'aurais trouvé qui c'était. Mais je ne voulais pas savoir. Ça m'aurait fait trop mal. C'est pour ça que j'ai voulu quitter Tamza juste à ma sortie de prison, pour ne pas avoir à remuer toute cette boue. Jamais je n'arriverai à faire revenir claire toute cette eau de Tamza chargée de boue. Mateo a une petite lumière au fond de lui, mais pas d'aura. Il ne cherche pas à avoir du pouvoir, à la différence d'Aigle d'Or. C'est peut-être son nom qui lui donne son pouvoir, comme dans une des bandes dessinées que je lisais à la bibliothèque du collège des Frères. Aigle d'Or était le nom d'un grand chef indien qui se croyait invulnérable.

Je ne m'en étais pas aperçu, mais il y a une thermos de café sur la table et un bol à côté. Mateo m'a préparé le petit déjeuner. J'entends sa respiration, il s'est déjà endormi. Travailler de nuit ne me gêne pas. Ça m'évitera d'avoir des insomnies et de me réveiller en sueur, avec une crise d'angoisse et la peur au ventre. Depuis la prison, je vis avec la peur. Elle est là tapie au fond de moi. Parfois je la crois partie, mais elle est seulement endormie. J'avais peut-être cette peur avant la prison, mais alors j'étais jeune et plus fort qu'elle, je la dominais afin qu'elle ne me possède pas. En prison, sans la protection d'Ama et de Lili, je suis devenu faible. Les droits communs ne plaisantaient pas. Il fallait que je sois toujours sur mes gardes, surtout qu'ils avaient tout de suite remarqué que je n'étais pas un des leurs, un faux droit commun comme ils disaient. Comment ai-je pu traverser toutes ces années et m'en sortir vivant ? Car je suis vivant, ils n'ont pas réussi à me détruire. Je suis abîmé, mais vivant. Toute mon énergie est passée dans cette volonté : rester vivant. Ça a représenté une épreuve de force. Ça prouve que malgré ma faiblesse, j'ai une force moi aussi, même si ce n'est pas la même que celle d'Aigle d'Or.

Je commence à mieux voir dans le wagon éclairé seulement par la lampe de chevet. Pour pouvoir dormir le jour, Mateo a confectionné d'épais rideaux qui cachent la lumière. Il y a des piles de livres entassés dans les coins. Je ne manquerai pas de lecture. À Fort Gabo, à la différence de la prison de Tamza, je ne disposais d'aucun livre. C'est ça aussi qui m'a abîmé. J'essayais de toutes mes forces de me rappeler ceux que j'avais lus à la bibliothèque du collège des Frères. Mais je me suis alors aperçu que je les avais presque tous oubliés. Combien j'ai regretté de les avoir si mal lus, d'avoir investi si peu de moi dans la lecture ! J'étais jeune et je ne pensais déjà qu'à m'engager dans le Mouvement. Je ne savais pas qu'il y a dans les livres une nourriture sans laquelle on dépérit. Je ne croyais qu'au cinéma. En prison, je me suis projeté et reprojeté sans fin les films que j'avais été voir au ciné-club. Chaque film se réduisait à une ou deux images. J'avais ainsi ma collection d'images, collées les unes aux autres selon des liens imprévisibles. Quand je n'étais pas trop abruti, en fin de matinée, j'essayais d'inventer une histoire avec ces images collées les unes aux autres. Il y avait beaucoup de variations possibles. Ma seule richesse était un cahier qu'un droit commun avait échangé avec moi contre ma montre. J'avais perdu l'heure et gagné un cahier pour noter ces histoires que j'inventais à partir des images qui me trottaient dans la tête. J'écrivais le plus petit possible pour faire durer le cahier. Ça m'a beaucoup aidé à tenir. Peu de temps après avoir appris que j'étais sur la liste des prochains graciés et que j'allais bientôt sortir de Fort Gabo, quelqu'un m'a volé mon cahier, sûrement un des gardiens, car qui d'autre aurait pu entrer dans ma cellule en mon absence ? Mon cahier était caché sous mon matelas. J'avais donc perdu le trésor que j'avais réussi à amasser en prison. J'aurais bien aimé montrer ce cahier à Mateo pour avoir son avis. Ce doit être un bon lecteur, sinon pourquoi aurait-il entassé toutes ces piles de livres dans son wagon ?

C'est la première fois depuis que je suis sorti de Fort Gabo que je me souviens de mon cahier. Si je veux faire du cinéma, je dois d'abord commencer par écrire un scénario. Si j'y arrive, ce sera ma victoire. Je viens peut-être de trouver, en arrivant à l'ancienne gare de Loisy et en devenant colocataire du troisième wagon avec Mateo, quoi faire de ma vie juste après la prison, alors que je suis un clandestin en France. En étant clandestin, je peux écrire un scénario, c'est bien l'une des rares choses que je peux faire sans risquer d'être arrêté.

C'est drôle comme il suffit parfois de passer d'un lieu à un autre pour qu'une idée essentielle surgisse et vous éclaire. La journée que j'ai passée hier enfermé dans le pavillon d'Amid, je n'ai pensé à rien d'autre qu'à mon malheur. Et voilà que le troisième wagon de l'ancienne gare de Loisy m'ouvre une porte, une petite porte que je n'avais pas vue. Je ne sais pas si Aigle d'Or m'aidera à faire du cinéma, mais en m'acceptant comme locataire clandestin, il me rend déjà un service. Je dois le reconnaître et l'en remercier.

Je reste un long moment dans ce wagon douillet, éclairé par la lampe de chevet, à méditer sur cette idée qui vient de surgir en moi en écoutant la respiration de Mateo. Il dort calmement d'un sommeil réparateur. Peut-être qu'en vivant à ses côtés, je vais retrouver le sommeil, celui qui fait du bien, peuplé de rêves et non de cauchemars dont on ne se souvient pas, tellement ils doivent être horribles.

En prison, le sommeil ne m'était pas réparateur, il était comme un vampire qui se nourrissait de mon sang. Heureusement que le jour, j'écrivais mes histoires qui me redonnaient vie. Ma prison avait ainsi un double visage. C'est ce qu'avait dû envier le gardien qui m'avait volé mon cahier. En le volant, il avait peut-être espéré s'approprier mon trésor. Il avait deviné que ce cahier était ma force, alors que tout en moi était faiblesse. Comme pour moi tous les gardiens se ressemblaient dans leur misère, je ne pouvais pas deviner qui était celui qui avait volé mon cahier. Toute la journée, ils mâchaient leur herbe, que certains détenus arrivaient à se procurer en leur donnant ce qu'ils avaient de plus précieux, ou en se prostituant à ceux qui les désiraient, quand ils avaient la chance d'être désirable aux yeux d'un gardien, ce qui ne fut sans doute pas mon cas car je ne reçus jamais aucune offre d'aucun gardien. Le désir que certains détenus éveillaient en eux était bien la seule folie dont ils étaient capables. Je les entendais crier dans la cellule du détenu dont ils tiraient leur jouissance, plusieurs fois par nuit. Certains détenus aussi jouissaient, on le savait quand les cris s'entremêlaient. Ça créait un grand trouble dans les autres cellules. Chaque détenu alors était seul avec son désir, seul à trouver comment l'assouvir. Comme j'avais chassé Ama de ma mémoire, je n'arrivais pas à trouver ma jouissance et je souffrais terriblement. Même les histoires que j'avais dans la tête ne pouvaient pas, à ce moment précis, m'être d'un quelconque secours.

J'entends soudain le hennissement d'un cheval, Sanson sans doute. À ma surprise, ce n'est pas Aigle d'Or qui le monte, mais une cavalière. Il se cabre et refuse d'avancer en hennissant. En me voyant, il se calme immédiatement comme s'il avait honte de montrer ainsi à un inconnu son caractère rebelle et le couple violent qu'il forme avec sa cavalière, qu'il n'a tout de même pas réussi à faire tomber, malgré ses ruades.

En m'apercevant qui sors du wagon, elle me fait signe d'approcher. Elle se présente avec beaucoup de grâce, comme si elle était sur une scène et qu'elle parlait à son public. Elle a les cheveux crépus, des yeux vert pâle comme ceux d'Aigle d'Or et le teint foncé d'une Africaine. « Je m'appelle Lola, je suis la fille d'Aigle d'Or. Comme vous voyez, j'essaie de dompter ce cheval fou. Pendant des jours, il joue à obéir et à sauter merveilleusement les obstacles. Et puis soudain, comme ce matin, il redevient sauvage, pour bien me montrer qu'il est imprévisible et que je ne peux m'attribuer aucune victoire. Mon père espère qu'il gagnera les concours hippiques. Mais je ne partage pas son point de vue. Il fera en sorte de le décevoir dans son espoir. Il ne nous pardonne pas la mort de sa mère, dans un accident de saut. Aigle d'Or l'entraînait au-dessus de ses forces, ne voulant pas voir qu'elle ne pourrait pas franchir l'obstacle qu'il voulait qu'elle saute. À moi, peu importe que Sanson ne remporte pas les concours hippiques. Je l'aime tel qu'il est et j'ai tant de plaisir à le monter, même quand il redevient sauvage comme ce matin. Il fait toujours en sorte que je ne tombe pas. Alors, c'est

vous Diego Aki, le nouveau clandestin ? Soyez le bienvenu. Vous montez à cheval ? »

Je ne m'attendais pas à cette question. Je lui réponds
que j'ai appris à monter sur la plage de Tamza. Le père
de Sina, mon meilleur ami au collège, était éleveur de
chevaux. Il avait un ranch au bout de la plage. Quand
j'allais voir Sina, son père m'apprenait à monter. Je
suis troublé de repenser à lui tout à coup. Je n'ai plus
eu de ses nouvelles depuis que j'ai été arrêté. Qu'est-il
devenu ? Pourquoi ne m'a-t-il pas donné signe de vie ?
Au collège, on était inséparables. Quand je me suis
engagé dans le Mouvement, il a refusé de me suivre.
Il avait déjà sa vie tracée : il aiderait son père au ranch
et puis il lui succèderait après sa mort. J'avais cru deviner qu'il était jaloux de ma rencontre avec Ama. Je le
voyais moins souvent, je m'éloignais de lui, sans même
m'en rendre compte.

Lola me dit, comme un défi : « Vous voulez essayer ?
Aucun des clandestins qui habitent ici n'a osé le monter. Aucun n'est un vrai cavalier. Si vous réussissez,
Sanson sera votre ami. C'est un ami fidèle qui saura
vous écouter et vous consoler. » Comme à Rita qui
m'avait invité au cabanon, je dis oui à Lola qui m'invite
à monter Sanson.

Il me laisse le monter avec douceur, obéissant à tous
mes gestes. Nous galopons dans l'enclos comme si nous
nous connaissions de longue date. Je sais toujours monter à cheval. Lola me dit. « Bravo ! Vous pourrez le
monter en fin d'après-midi. C'est l'heure où il est seul

et où il s'ennuie. Avant d'aller à l'entrepôt, ça vous mettra en forme. »

Je la remercie pour son offre. J'ai besoin d'exercice, elle s'en est aperçue. Elle a l'air de tenir à ce que je monte Sanson. Elle me quitte brusquement, après m'avoir regardé fixement dans les yeux, sans que je puisse deviner ce qu'elle cherchait à me dire. Je repense à ce qu'Aigle d'Or m'a dit sur elle, avec insistance, que ses locataires lui doivent le respect. Pourquoi m'avoir répété deux fois cette phrase, comme une menace ? Ce n'est pas mon genre de manquer de respect à une femme.

L'entrepôt de monsieur Abou

Pour notre premier dîner ensemble, Mateo a préparé un plat africain. Il est flatté que j'apprécie ses talents de cuisinier. Tout de suite, il me met en garde contre Lola, comme si je courais un grand danger : « Lola, il faut que tu t'en méfies. Aigle d'Or la traite comme si elle était toujours une petite fille. Sa mère a été tuée dans un massacre, peu de temps après l'assassinat du président Bogumbo. Aigle d'Or n'en parle jamais, mais je sais qu'il est inconsolable. C'est à partir de ce moment-là que ça a commencé à mal tourner pour lui en Afrique. Il avait perdu ses derniers repères en perdant la mère de Lola. Depuis, il vit dans la peur de perdre sa fille comme il a perdu sa mère. Il craint toujours qu'elle ne dépasse les limites et qu'il lui arrive un malheur. Elle a un fils, Toméo, dont elle a refusé de s'occuper, en disant qu'à la maternité on lui avait volé son bébé et donné un enfant avec une tare dont personne ne voulait. Aigle d'Or l'a mis dans une pension en Suisse. Il s'absente régulièrement pour aller lui rendre visite. Personne ne sait qui en est le père. Pour Sanson, fais attention. Je ne crois pas qu'Aigle d'Or apprécierait que tu le montes sans que ce soit lui qui te l'ait demandé. Jusqu'à maintenant, Sanson est sa propriété exclusive qu'il ne partage qu'avec Lola. Ils n'arrêtent pas de se disputer à son propos, mais c'est un lien de plus entre eux. Si tu tiens à le monter, débrouille-toi pour le lui demander sans parler de Lola. Sinon, il refusera, seulement parce que c'est Lola qui te l'a proposé. »

Je le remercie pour son conseil. Je ne remonterai pas Sanson sans l'autorisation d'Aigle d'Or. À la fin du dîner, il m'offre un cigare cubain. Il est surpris que je n'en n'aie jamais fumé. Il a beau être un clandestin, il garde ses goûts de luxe. Je ne sais pas comment il fait pour s'acheter des cigares cubains. Il a sans doute d'autres revenus que son salaire de gardien de nuit à l'entrepôt de monsieur Abou. Pour lui faire plaisir et par curiosité, j'accepte le cigare. Je ne sais pas l'apprécier, même si je le fume entièrement. Je préfère les Gauloises aux cigares. Il a des gestes élégants et raffinés. Il ne veut pas se laisser abîmer par sa situation présente qu'il considère seulement comme un passage, une expérience hors du commun dont il sortira mûri.

Je l'observe avec beaucoup d'intérêt. Il doit me trouver fruste et même un peu grossier. À la prison, j'ai perdu les bonnes manières que Lili et Ama m'avaient inculquées. Elles me répétaient : « Ce n'est pas parce qu'on est fils de pauvre qu'on ne doit pas être bien élevé ». Elles travaillaient toute la journée et une partie de la nuit à faire des robes pour les femmes des notables de Tamza. Elles leur apportaient des modèles des grands couturiers de Paris qu'elles devaient refaire à l'identique. Ce n'était jamais assez parfait à leur goût et le prix qu'elles payaient était une misère en comparaison du travail de fée accompli par Lili et Ama. Elles se cousaient des robes inspirées des modèles de Paris. Elles se distinguaient ainsi par leurs toilettes des femmes du quartier auxquelles elles ne voulaient surtout pas ressembler. Toutes sortes de rumeurs couraient à leur sujet, mais elles s'en moquaient. Elles étaient pauvres, mais élégantes. Ama économisait tout ce qu'elle pouvait afin de me payer mes études au collège des Frères, le meilleur de Tamza, réservé aux enfants des notables. Grâce à ses clientes qui m'avaient recommandé au directeur du collège, elle avait pu m'y faire inscrire. Avec Lili, elle ne me parlait que français, parce que c'était la condition pour que je réussisse à avoir une autre vie qu'elles.

De tout cela, je n'ai pas envie de parler à Mateo. Je préfère profiter de sa compagnie et réapprendre à ses côtés les bonnes manières. Après la prison, c'est une chance d'avoir cette opportunité. Ça fait partie aussi de ma rééducation. Mateo ne se doute pas de tout ce qui me passe par la tête. Il semble à l'aise avec moi et bien content que je sois là. Il n'a aucun préjugé contre les anciens révolutionnaires puisque en Afrique son père était ami avec Aigle d'Or. Il ne s'imaginait sans doute pas devoir partager un jour au fin fond de la banlieue nord de Paris un wagon de train immobile avec un ancien révolutionnaire de Tamza emprisonné à Fort Gabo comme un vulgaire droit commun. Pour lui, c'est une aventure inattendue. Il n'a jamais cru au Mouvement. Il a profité de la vie autant qu'il a pu pour oublier ce qui se passait autour de lui. Il ne voulait surtout pas ressembler à son père ni finir comme lui. Il ne se laisse pas abattre, réussissant même à s'entourer d'un minimum de confort.

Je lui demande de me prêter un de ses livres. Il les a achetés en lot au marché de Loisy. « C'est tout ce qui restait de la bibliothèque d'un lettré chinois exilé en France, le seul trésor qu'il avait pu sauver en partant. À sa mort, personne autour de lui n'en a voulu et ses livres ont fini au marché de Loisy. À part quelques traductions en français, les livres sont tous écrits en vieux chinois. Je ne peux pas les lire, mais j'aime qu'ils soient dans le wagon. J'ai toujours vécu entouré de livres que mon grand-père rapportait de ses voyages. La plupart, je ne les lisais pas parce que je ne connaissais pas leur langue, mais j'aimais qu'ils soient près de moi. »
Il ne me demande pas quels sont mes goûts et d'autorité il me donne à lire un recueil de poèmes chinois, un des rares livres de sa collection à être traduits. Il me dit que ce recueil m'aidera à méditer et à faire le vide avant de m'endormir. Et il ajoute, après un moment de silence : « L'important dans la vie, c'est d'être capable

de faire le vide ». Je le remercie pour le livre et pour son conseil dont j'entrevois toute la sagesse.

C'est l'heure de partir à l'entrepôt. À cette seule pensée, Mateo a une crispation dans tout le corps. Il ne part pas travailler de bon cœur. Il change vite de tenue, met une salopette et un blouson. Il me conseille de me couvrir parce qu'il fait froid dans l'entrepôt. Je mets un pull sous ma parka. Il fait déjà nuit dehors. À l'intérieur du wagon, grâce aux rideaux toujours tirés, on ne se rend pas compte s'il fait jour ou s'il fait nuit.

On marche très vite jusqu'à l'arrêt de bus. Puis on change deux fois de bus pour arriver dans le quartier de l'entrepôt où on marche encore une demi-heure, pour arriver enfin. C'est un endroit perdu et sombre qui semble inhabité. Mateo est content d'avoir enfin un compagnon avec lui. Seul, il ne se sentait pas rassuré. Mais il n'a pas eu le choix. Le travail de nuit à l'entrepôt de monsieur Abou est la condition pour pouvoir habiter en clandestin le troisième wagon de l'ancienne gare de Loisy et payer son loyer à Aigle d'Or. Ils ont dû faire un contrat ensemble : les locataires clandestins d'Aigle d'Or sont les travailleurs clandestins de l'entrepôt de monsieur Abou.

L'entrepôt est immense et rempli de caisses jusqu'au plafond. Des allées avec des chariots permettent de circuler. À cette heure, il n'y a plus personne, sauf Mateo et moi. Nous disposons d'un bureau avec deux vieux fauteuils pour nous reposer, un téléphone et un ordinateur. Monsieur Abou fait toute confiance au gardien de nuit. Depuis que Mateo y travaille, il n'y a eu aucun incident. Mais il a quand même demandé à Aigle d'Or que monsieur Abou engage un deuxième gardien par prudence (il peut toujours tomber de sommeil ou avoir un malaise) et parce qu'en cas de problème ce serait plus sûr. Aigle d'Or a fait semblant de ne pas entendre. Mais à mon arrivée, il s'est rappelé sa demande puisqu'il m'a immédiatement proposé de travailler avec lui. Comme Mateo, je n'ai pas eu le choix : c'était ça ou rien.

Mateo pense que monsieur Abou va sûrement lui supprimer sa prime de risque puisque maintenant on est deux à garder l'entrepôt la nuit. Il ignore ce qui se passe le jour dans l'entrepôt parce que les clandestins de l'ancienne gare de Loisy qui y travaillent ne parlent pas français et que le jour, quand il est réveillé, ils sont à l'entrepôt. Ils ne recherchent pas le contact et vivent entre eux. Aigle d'Or s'entend bien avec eux. Il va souvent boire un verre dans leur wagon. Il les écoute chanter et jouer de la musique. C'est leur seule distraction parce qu'ils ne sortent jamais de l'ancienne gare. Siegfried leur fait les courses. Apparemment, ils donnent toute satisfaction à Aigle d'Or. Ils ne restent jamais plus de trois mois. À Loisy, ils sont seulement en transit. Quand ils repartent, une autre équipe, identique, les remplace.

Mateo m'explique que monsieur Abou a bricolé un

système vidéo afin de surveiller ses employés et vérifier qu'ils font bien leur travail, sans doute aussi pour être sûr qu'ils ne fouillent pas dans les caisses. Les rondes d'allée en allée ont lieu toutes les deux heures. Elles doivent durer une heure. Alors le gardien passe une grande partie de sa nuit à marcher, éclairé seulement par sa lampe de poche parce que l'entrepôt est dans l'obscurité. Mateo en revient chaque matin avec des courbatures dans les jambes et les cuisses. Maintenant qu'on est deux, on va pouvoir se partager l'espace à surveiller et la marche sera réduite de moitié. On ne peut pas tricher parce qu'on est filmé par la caméra, tout du moins c'est ce que croit Mateo. Si on constate quelque chose d'anormal, on doit appeler au numéro d'urgence que monsieur Abou a donné à Mateo. Il ne sait pas ce qui se passe quand on appelle puisque jusqu'à maintenant il ne s'est rien passé d'anormal.

Mateo me confie son anxiété : « Je suis content que tu sois là. Toutes les nuits, j'ai peur, même si jusqu'à maintenant il ne s'est rien passé. Je suis sûr que ça ne va pas durer. J'ai entendu des bruits à l'extérieur certaines nuits, des autos qui s'arrêtent et repartent, des bruits de voix. Mais rien dans l'entrepôt qui puisse justifier que j'appelle le numéro d'urgence. J'ai l'impression qu'on cherche à me faire craquer. Mais c'est peut-être seulement une pensée qui me vient de ma propre peur. Dans le tiroir du bureau, il y a une arme, chargée. Je n'ai pas le droit de la porter sur moi et je ne dois m'en servir qu'en cas de légitime défense.

Je me suis toujours demandé ce que c'est qu'une légitime défense. Cette arme ne me rassure pas, au contraire. De toute façon, si j'étais attaqué pendant une ronde, je ne pourrais pas me défendre puisque l'arme doit rester dans le tiroir du bureau. Maintenant que tu es là, je me sens moins vulnérable. Tu sauras me défendre, avec le passé et l'expérience que tu as. »

Je ne réponds pas. Je n'ai pas envie de parler de cette période de ma vie.

Mateo a acheté deux sifflets au marché de Loisy. Il m'en donne un. Il a inventé un système de communication avec les sifflets, parce que l'entrepôt est trop grand pour qu'on puisse se parler. Nos voix se perdraient tellement c'est mal insonorisé. Je trouve que c'est une bonne idée. Il a écrit sur une feuille de papier le nombre de coups de sifflet et à quoi ils correspondent pour qu'on ne se trompe pas dans les messages qu'on va s'envoyer pendant nos rondes. Il a aussi précisé l'intensité des coups de sifflet. C'est très ingénieux, mais il faut faire attention de ne pas se tromper. Je lui dis, un peu inquiet : « Ne m'en veux pas si je fais des erreurs. Cette nuit, c'est pour l'entraînement. » Il approuve, même lui n'est pas encore entraîné. Grâce au sifflet, on saura toujours où on est dans l'entrepôt et on pourra communiquer entre nous. Moi aussi, je me sens rassuré d'être en possession d'un sifflet. D'avoir vécu si longtemps en prison dans un tout petit espace me rend inadapté à la si grande surface de cet entrepôt. Je ressens une angoisse dont je ne parle pas à Mateo pour ne pas l'angoisser à son tour. Je me demande lequel de nous deux est le plus inquiet. On ne vaut pas mieux l'un que l'autre.

Monsieur Abou a une affaire qui tourne bien et vite. Mateo a remarqué que la marchandise est souvent renouvelée. Les clandestins de l'équipe de jour ne chôment pas, à sortir les caisses de l'entrepôt et à ranger celles qui arrivent. La nuit me paraît longue à marcher d'une allée à l'autre, du côté droit de l'entrepôt puisque ce premier soir c'est mon côté. Mateo m'a dit que demain on changerait de côté. Toute la nuit, on s'entraîne au sifflet. C'est comme un jeu, ça nous distrait de notre anxiété. On entend beaucoup de bruits à l'intérieur de l'entrepôt, mais aucun bruit inquiétant, seulement des chauve-souris et des rats, il y en a un certain nombre dans l'entrepôt. Comme les caisses sont en métal, elles ne risquent pas d'être attaquées par les rats. Les chauve-souris s'amusent à me frôler la tête. Je dois les apprivoiser, elles ne me connaissent pas encore puisque c'est ma première nuit. Je n'entends aucun bruit à l'extérieur. Dans l'entrepôt, à part les bruits de bêtes, tout est calme.

Mateo m'envoie de petits coups de sifflet, dix à la suite en crescendo, c'est un signe d'amitié. Je marche d'un pas régulier, en comptant mes pas comme autrefois dans ma cellule, je n'arrive pas à m'en empêcher. C'est épuisant. Même s'il ne se passe rien, ce n'est pas un travail de tout repos à cause de la marche incessante. On se demande ce qu'on fait là à arpenter les allées de l'entrepôt dans l'obscurité trouée seulement par la lumière de la lampe de poche. Ça crée une sensation de malaise profond.

Quand on se retrouve dans le bureau affalés dans nos fauteuils, au moment de la pause, on n'a même pas envie de se parler. On ferme les yeux, on essaie de se détendre et de reprendre des forces pour la prochaine ronde. Mateo a un flacon de whisky dans sa poche. Il en boit une gorgée à chaque pause et m'en offre une. Dorénavant, on partagera aussi les frais du whisky, du pur malt dix ans d'âge. Sur le whisky, dit Mateo, il ne faut surtout pas faire d'économies ; c'est le seul plaisir de toute la nuit, ce qui nous aide à tenir. Il a raison.

À quatre heures du matin, le téléphone sonne dans le bureau, juste quand on est à l'autre bout de l'entrepôt. Mateo se précipite pour répondre. Mais quand il décroche le téléphone, la personne au bout du fil a déjà raccroché. Pour le calmer, je lui dis que c'est peut-être une erreur. Il ne le pense pas. Depuis qu'il travaille à l'entrepôt, c'est la première fois que le téléphone sonne. Ce devait être un message, mais lequel ?
Mateo s'agrippe à moi tellement il est perturbé par cet appel. J'ai envie de lui dire : « Si tu avais fait comme moi toutes ces années de prison, tu ne paniquerais pas pour un appel téléphonique au milieu de la nuit. » Mais

je me tais, ce n'est pas la peine de faire le malin. Même si je suis resté indifférent à ce coup de téléphone, je ne supporte pas beaucoup mieux que lui la marche de nuit dans l'entrepôt. La prison ne m'a pas préparé à ce travail.

À six heures du matin, la garde de nuit s'arrête. L'équipe de jour arrive à six heures et quart, juste au moment où on sort. On fait un salut de loin aux clandestins du deuxième wagon de l'ancienne gare de Loisy qui arrivent pour prendre la relève. C'est le seul contact qu'on a avec eux.

Je suis épuisé et je tombe de sommeil, à la différence de Mateo qui semble revivre dès qu'on s'éloigne de l'entrepôt. Il me rassure en me disant que je vais m'habituer et prendre le rythme. Juste avant de partir, il a écrit sur le registre posé sur le bureau : *RAS*, comme chaque matin jusqu'à ce jour.

On attend longtemps les bus et le voyage jusqu'à l'ancienne gare de Loisy me paraît beaucoup plus long que la veille au soir. Mon corps me fait mal partout alors que Mateo est en pleine forme malgré ses courbatures, débarrassé de l'angoisse que l'entrepôt a fait naître en lui. Quand on arrive enfin au troisième wagon, je m'excuse de lui fausser si vite compagnie. Je ne peux faire qu'une seule chose, me coucher et dormir. Je n'ai plus à craindre d'avoir des insomnies.

La vie à Loisy

Depuis mon installation dans l'ancienne gare, Aigle
d'Or s'est montré discret, comme s'il voulait me signifier que je dois garder mes distances et que je ne béné-
ficie d'aucun traitement de faveur. Il s'est absenté toute
une semaine. À son retour, il me donne rendez-vous
dans son bureau. Je constate que son comportement à
mon égard a changé. Il s'adresse à moi comme un ami
qui a besoin de savoir qu'il a quelqu'un sur qui compter : « Je suis heureux que tu te sentes chez toi ici.
Après ce que tu as vécu à Fort Gabo, tu avais besoin
de retrouver de l'assurance. J'ai fait en sorte, même si
tu ne t'en es pas aperçu, que tout aille bien pour toi.
Lola m'a dit que tu savais monter à cheval et que ça
te ferait du bien de monter Sanson dans l'après-midi
avant d'aller travailler. Si Sanson est d'accord (tu t'en
apercevras très vite), je n'y vois pas d'inconvénient.
Tout se passe bien à l'entrepôt ? Tu n'as rien remarqué
d'anormal ? »

Je lui réponds ce que Mateo écrit chaque matin sur
le registre : il n'y a rien à signaler, tout se passe normalement. Mateo ne note pas sur le registre les coups

de téléphone qui se répètent maintenant toutes les nuits, parfois même plusieurs fois par nuit. Malgré son inquiétude, il pense qu'il vaut mieux ne pas avertir monsieur Abou. Je le laisse décider parce que c'est lui le chef d'équipe et qu'il a sûrement ses raisons pour ne rien écrire sur le registre.

Aigle d'Or m'offre une cigarette. Il tire plusieurs bouffées de la sienne sans parler. Ma réponse ne semble pas l'avoir satisfait. Il me demande à brûle-pourpoint de surveiller Mateo et de le prévenir si quelque chose dans son comportement m'intrigue. « Je l'aime beaucoup, il a dû te dire que j'avais été ami avec son père autrefois en Afrique et qu'on avait été très proches. Son père s'inquiétait à son sujet parce qu'il se lançait toujours dans des histoires impossibles. Il est capable d'actions imprévisibles qui lui ont coûté très cher. Il a tout perdu de ce que lui a laissé son père, comme si un instinct l'avait poussé à tout perdre et à devoir s'enfuir comme un criminel pour vivre ici en clandestin. Il déploie tous ses talents pour te plaire, comme il sait si bien le faire. Mais reste sur tes gardes. Je sais qu'il rencontre chaque après-midi au Café des Sports de Loisy un associé d'Ange Noir. Ange Noir est le chef secret des bandes de Loisy, il supervise toutes leurs actions. Je considère Ange Noir comme un homme sans foi, ni loi, capable de tout pour arriver à ses fins. Inutile de te dire qu'il n'est pas mon ami. Mateo s'est adressé à lui pour obtenir ses faux papiers et il doit aussi tra-

vailler pour lui en cachette. Il lui faut de l'argent pour
pouvoir partir. Le salaire de monsieur Abou ne lui suffit
pas. Si monsieur Abou apprend que Mateo travaille en
cachette pour Ange Noir, il risque de me créer de graves
ennuis. Ange Noir et monsieur Abou se détestent. Je
n'ai pas besoin de t'en dire plus, tu as compris où je
voulais en venir. C'est pourquoi je te demande de me
prévenir si tu remarques quelque chose d'anormal dans
le comportement de Mateo. Le commissaire me protège, le maire le sait. Mais il tient aussi compte de ce
que lui dit Ange Noir qui est son âme damnée. Tu as
rencontré ma fille, Lola. C'est elle qui me renseigne sur
Mateo. Je ne suis pas sûre qu'elle ne me raconte pas des
histoires, rien que pour me créer des ennuis. Je veille
sur elle parce que ce n'est pas quelqu'un d'équilibré.
J'ai essayé de la faire soigner dans une maison spéciali-
sée, mais elle est rebelle à tous les traitements. Elle me
hait de m'occuper de Toméo. Je ne lui en veux pas, je
sais tout ce qu'elle a vécu en Afrique quand elle était
petite, mais je dois protéger Toméo. Tu vois l'état d'éga-
rement dans lequel je suis. Je me sens menacé de toutes
parts. Je dois résister à cause de Toméo qui n'a que moi
au monde pour veiller sur lui. Lui aussi, comme Lola,
est un déséquilibré. À ma dernière visite, il a refusé de
me parler. Il m'a dit que ce n'était plus la peine que je
vienne le voir, il préfère être tout seul. Ça m'a déchiré
le cœur, après tout ce que j'ai fait pour lui. Tu m'as dit
le jour de ton arrivée que tu t'intéressais au cinéma. Je
vais te donner l'adresse de Nelly. Tu pourras aller te

présenter à elle de ma part. Nous avons été très liés autrefois avant que je parte en Afrique. Si elle peut t'aider, elle le fera. C'est quelqu'un de caractère qui n'est pas rentré dans le rang. Elle a gardé quelques amis dans le monde du cinéma. Avec elle, j'avais créé La Licorne, une petite maison de production pas comme les autres pour faire un cinéma révolutionnaire. Moi aussi à cette époque, comme toi, je rêvais de faire du cinéma. La Licorne a fait faillite, mais Nelly n'a pas renoncé au cinéma. N'hésite pas à l'appeler. Si tu as toujours ton projet, il ne faut pas que tu tardes. La vie passe vite et tu n'es déjà plus tout jeune. Ne perds pas de temps. Pour toi, Loisy ne doit être qu'une étape. Ce n'est pas pareil pour moi. J'ai tout tenté de ce que je pouvais faire, je suis arrivé au bout. Je ne veux pas partir d'ici. C'est ma dernière étape, pas la plus brillante, mais elle me permet de faire ce que j'ai encore à faire. Il faut que je prépare l'avenir de Toméo. Je lui constitue un capital sur un compte en banque, en Suisse, pour qu'il ait de quoi vivre quand il sortira de la pension. Avec le caractère qu'il a, je ne sais pas ce que l'avenir lui réserve. Lola est folle de ne pas pouvoir toucher à cet argent. Elle ne rêve que de palaces et de grandes tournées avec son groupe de musiciens et tout dépenser dans les salles de jeu. Je me suis confié à toi comme à un ami. J'espère que tu ne trahiras pas ma confiance. Je ne me sens plus la tête assez solide pour affronter seul ce qui se prépare. Je ressens mon âge tout à coup. Je compte sur toi pour m'aider. »

Je suis sorti très troublé de cet entretien avec Aigle d'Or. Il y a en lui un désarroi profond qui me le rend proche. Mais je ne veux pas me laisser manipuler par lui. En se confiant à moi, il a cherché à me déstabiliser. Lola lui a sûrement parlé de mon lien à Mateo. J'ai besoin de sa présence pour tenir à distance mes angoisses et ma souffrance. Grâce à lui, je m'habitue à ma nouvelle vie de clandestin. Plus encore, j'éprouve pour lui un attachement presque charnel. J'aime sa voix, son odeur, sa démarche, j'aime l'entendre respirer. Si j'osais, je partagerais son lit pour me serrer tout contre lui. Je n'ai jamais éprouvé cette attirance pour un homme, cet attachement physique, même pendant toutes mes années de prison. J'ignore quelles seraient ses réactions si je me déclarais. Alors j'essaie de garder mes distances autant que possible et de ne le frôler que par inadvertance. On vit comme un couple, partageant le même wagon et toutes nos nuits à marcher dans cet entrepôt lugubre relié l'un à l'autre par notre sifflet. Il se réveille en début d'après-midi et dès qu'on a fini de déjeuner, (c'est toujours lui qui cuisine) il disparaît sans me dire où il va. Il ne rentre que quelques minutes avant qu'on parte à l'entrepôt, juste le temps de se changer. Il ne me raconte pas ses après-midi, me faisant comprendre qu'il ne souhaite pas que je lui pose de question. Peut-être, si Aigle d'Or ne m'a pas menti, va-il travailler pour Ange Noir ?

En échange du numéro de téléphone de Nelly, Aigle d'Or me demande de faire l'indicateur. J'ai connu ça en prison. Ça n'a jamais marché avec moi. Non pas par principe, mais parce que je ne peux pas entrer dans ce genre de relation. Ça m'a causé beaucoup de tort. Il s'est présenté plusieurs occasions que je n'ai pas saisies parce que je n'ai pas joué le jeu qu'on me demandait. Aigle d'Or veut savoir qui je suis et de quoi je suis capable. Ce qu'il m'a raconté est peut-être une histoire, mais il y a aussi sûrement une part de vérité. C'est à moi de savoir déchiffrer ce qu'il me dit, de ne pas croire que tout est vrai ou que tout est faux. Ce n'est pas ainsi que des gens comme Aigle d'Or fonctionnent. Ils ont leur propre logique qu'il faut essayer de comprendre pour ne pas tomber dans leurs pièges. Je suis loin de tout comprendre à Aigle d'Or.

Je décide de profiter de ses deux offres. J'ai trop envie de monter Sanson. Pendant l'absence de Mateo, ça m'empêchera de tourner en rond dans le wagon à attendre son retour. Et, quand je me sentirai prêt, je téléphonerai à Nelly. Il me faut quelqu'un d'expérience à qui parler de mon projet de scénario. Tout seul, je n'arriverai jamais à l'écrire. J'ai essayé d'en parler avec Mateo, mais le cinéma ne l'intéresse pas. Il ne pense pas que je puisse écrire un scénario. Il ne m'en croit pas capable. Pour lui, il faut avoir fait des études de cinéma et avoir déjà du métier. Je n'ai donc pas à me plaindre de l'entretien que j'ai eu avec Aigle d'Or, à condition que je sache en tirer profit. Je ne peux pas continuer à vivre dans l'entière dépendance de Mateo. C'est ce que m'a fait comprendre Aigle d'Or.

Mateo se montre très prévenant avec moi, soucieux de mon bien-être. Il n'a pas envie de me perdre. Il ne m'interroge pas directement sur mon entretien avec Aigle d'Or, mais il y fait une allusion discrète, pour me montrer qu'il sait qu'Aigle d'Or a essayé de me faire douter de lui. Devine-t-il qu'Aigle d'Or m'a demandé de lui dire tout ce que je remarquerais d'anormal le concernant ? Il a raison d'avoir confiance en moi. Je ne dirai rien à Aigle d'Or.

Je préférerais que Mateo ne m'ait pas confié son projet de départ, parce que je ne peux pas ignorer que notre cohabitation ne durera pas. Je ne lui en veux pas. L'ancienne gare de Loisy doit être seulement un passage dans la vie d'un clandestin, le plus court est le mieux, surtout pour quelqu'un comme lui. S'il obtient ses faux papiers et peut partir en Colombie grâce à Ange Noir, c'est une chance pour lui. Il n'a pas à s'occuper des problèmes d'Aigle d'Or. En France où il est recherché par la police, il n'a pas d'avenir. Je dois me réjouir pour lui, même si je suis triste qu'il ne pense qu'à partir. Ce sera une raison supplémentaire pour me pousser moi aussi à ne pas rester à Loisy.

J'ai demandé à Mateo quand est-ce qu'on aura une nuit de congé. Il m'a répondu que ça ne devrait plus tarder. Dès que l'entrepôt est vide, on a une nuit de congé, parfois même plusieurs d'affilée jusqu'à ce que l'entrepôt soit de nouveau plein. Quand il est vide, monsieur Abou ne juge pas nécessaire de le faire garder et il nous donne un congé bien mérité. Mateo me dit en riant : « Tu as envie d'aller faire un tour à Paris ? Tu as bien raison. Loisy, ce n'est pas une vraie ville. La nuit, il n'y a d'ouvert que le Bamako Palace où chante Lola accompagné de ses musiciens. L'ambiance y est très spéciale. Les Africains s'y retrouvent pour danser. À la fin de la nuit, quand ils entrent en transe, on se croirait en Afrique. J'aime y passer mes nuits de congé parce que j'ai l'Afrique dans le sang. Je suis comme envoûté quand Lola chante. Mais je ne te conseille pas d'y aller. On peut y faire de mauvaises rencontres. Le Bamako Palace est sous surveillance de la police. Monsieur Abou, qui en est le propriétaire, s'arrange pour ne pas avoir d'ennuis avec l'inspecteur chargé de la surveillance. Il vaut mieux que tu ailles passer ta première nuit de congé à Paris. Tu as besoin de connaître Paris si tu veux faire du cinéma. »

C'est la première fois qu'il s'intéresse à mon projet. Ça veut peut-être dire que son départ est proche. Il cherche à me réconforter. Je dois attendre de connaître la date de mon congé pour téléphoner à Nelly et lui demander un rendez-vous en me recommandant d'Aigle d'Or. Je ne parle pas de Nelly à Mateo. C'est une histoire entre Aigle d'Or et moi.

En début d'après-midi, quand je me réveille, Mateo est déjà parti. Il part de plus en plut tôt, laissant maintenant mon déjeuner à réchauffer sur le poêle. En déjeunant seul, je pense à lui qui m'abandonne déjà.

Pour me remettre en forme (j'ai toujours de mauvais réveils depuis la prison) je vais monter Sanson. Il me fait fête dès qu'il me voit. C'est un beau cheval, affectueux et sûr, à condition de ne pas l'entraîner pour le saut. Il sait que ça a coûté la vie à sa mère de devoir sauter un obstacle trop difficile pour elle et il a une peur panique de devoir affronter un obstacle. Je ne le force pas. On fait du trot et du galop, à son rythme, tout autour de l'enclos. Il en connaît tous les recoins, il est pour lui sans mystère. Je sens qu'il aimerait m'entraîner dans le bois, mais j'ai peur du bois depuis qu'Aigle d'Or m'a dit qu'il n'était pas sûr.

Le moment que je passe avec Sanson me fait beaucoup de bien. J'oublie que je suis dans l'enclos de l'ancienne gare de Loisy. Je suis avec Sina en train de galoper sur la plage de Tamza. Sina était un excellent cavalier, il savait monter depuis qu'il était petit. Quand on faisait la course, je perdais toujours. La plage de Tamza est immense, elle se prolonge vers le sud jusqu'à la frontière. L'océan y déferle en se fracassant contre les rochers et en faisant des nuages d'écume. Quand on s'arrêtait pour faire reposer les chevaux et qu'on s'étendait dans les dunes, à l'abri du vent, je parlais à Sina du Mouvement qui m'attirait comme un aimant. Il ne répondait pas et contemplait la mer. Nous allions nous baigner dans les vagues. Il m'entraînait au-delà de la barre rocheuse et nous nagions ensemble, au même rythme. Comme moi, Ama adorait la plage de Tamza. Il lui arrivait d'aller s'y baigner seule, sans Lili. Elle se sentait attirée par la violence de l'océan.

À partir du jour où je me suis engagé dans le Mouvement, ma vie ne m'a plus appartenu. J'étais docile et faisais tout ce qu'on me demandait de faire. J'allai dans les camps d'entraînement. J'appris à manier les armes et les explosifs. Je fis ensuite partie du groupe qui s'entraînait pour les attentats. Tous les membres du groupe, sauf les responsables qui restèrent introuvables, furent arrêtés. Il n'y eut que moi à avoir été condamné à perpétuité, les autres furent condamnés à mort. J'avais bénéficié de circonstances atténuantes en raison de ma jeunesse et aussi de ma situation subalterne dans le groupe. Je repense aux séances de torture. Jamais, avant mon arrestation, je n'avais pensé que je pourrais être arrêté et torturé. Je me croyais invulnérable parce que j'aimais Ama et qu'Ama m'aimait. Les tortures que j'ai subies continuent de me faire souffrir, même si mes cicatrices sont devenues presque invisibles. J'ai été torturé pour la vie.

Sanson sent que je suis bouleversé et il se met à trotter doucement pour me laisser me détendre et prendre le temps d'effacer les mauvais souvenirs. Je ne supportais pas la torture et au bout de quelques minutes je perdais connaissance. Mes bourreaux continuaient leur séance pour essayer de me faire revenir à moi. Pourquoi m'étais-je persuadé que j'avais donné mes camarades pendant mes séances de torture ? Je me disais que j'avais parlé justement au moment où je perdais conscience, pour ne pas avoir à m'en souvenir. Le gardien que j'avais failli tuer m'avait mis cette idée dans la tête. Mes camarades, je ne les ai pas donnés, comment ai-je pu avoir une si mauvaise opinion de moi ? S'ils ont été tués, c'est parce qu'à l'extérieur il y avait des indicateurs partout infiltrés dans le Mouvement, même des proches étaient des indicateurs. Le chaos régnait. Quand je me suis engagé, je ne me doutais pas que le Mouvement était déjà condamné. Pour moi, il n'y avait d'avenir et d'espoir qu'en lui.

Sanson, quand il sent que je me suis libéré de ce qui me pèse sur le cœur, hennit doucement. Ça veut dire : « Maintenant, galopons un peu, ça nous fera du bien ». Il sent tout ce que je sens. Grâce à Sanson, je revis toutes ces années qui sont en moi comme un trou noir. Je commence à comprendre la catastrophe qui m'est arrivée. La révolution est devenue un cauchemar dont j'essaie de me délivrer. On s'est servi de ma jeunesse et de mon rêve pour me faire entrer dans le Mouvement. Il avait besoin de nouvelles recrues, fiables et exaltées. Ama et Lili me soutenaient. À leur façon, elles aidaient le Mouvement. Leur atelier était devenu un lieu de rendez-vous. On y cachait même des armes.

Depuis la prison, je ne rêve plus. C'est terrible de vivre sans rêver. Sanson semble me dire : « Calme-toi, oublie le passé, rêve de nouveau, sans penser à réaliser tes rêves. Moi, enfermé dans mon enclos, je rêve de la pampa et de grandes prairies couvertes de fleurs et ça me rend heureux ; je rêve à ma mère qui me les a fait découvrir ». Grâce à Sanson, j'ai l'impression de revivre. Quand nous avons fini la promenade, je le brosse avec tendresse, je lui donne son avoine, je nettoie son wagon et lui prépare sa litière pour la nuit. Je le serre tout contre moi, longuement, sans rien lui dire. Que sont devenus les chevaux du père de Sina dans le ranch de la plage de Tamza ? À ma sortie de prison, je n'ai eu qu'un désir, partir. Je n'ai même pas été jusqu'à la plage voir si le ranch était toujours là et si Sina travaillait avec son père, comme il le souhaitait quand il était collégien. C'est sur cette plage qu'Ama, un soir, désespérée de ne plus croire à son rêve, décida de se noyer, pour se fondre dans cet océan qui l'attirait tant.

Mateo n'avait peut-être pas tort de craindre une attaque de l'entrepôt. Cette nuit, alors que tout était calme depuis plusieurs semaines, il y a eu un incident. Le téléphone a sonné et cette fois il y avait quelqu'un au bout du fil me demandant d'ouvrir la grande porte de l'entrepôt immédiatement, sinon l'entrepôt allait sauter. Mateo est devenu très pâle et tout son corps s'est mis à trembler. Il m'a dit en bégayant (j'ignorais qu'il bégayait, ça ne lui arrive que dans les moments où il se sent en grand danger) : « Ça y est, ils ont décidé d'éliminer monsieur Abou. Si on ouvre grande la porte, ils vont vider l'entrepôt avec leurs camions et c'est nous qui allons payer. Si on n'ouvre pas, ils vont mettre leur menace à exécution et ils vont faire sauter l'entrepôt. »

J'ai gardé mon sang-froid, peut-être parce qu'il prenait toute la frayeur sur lui. Je lui ai demandé d'appeler immédiatement le numéro d'urgence. C'est notre devoir de gardien. Il a été complètement paniqué à cette idée. Alors j'ai pris autorité sur lui et j'ai composé le numéro. Une voix sur un répondeur m'a répondu et j'ai laissé un message, en rapportant exactement le message qu'on venait de recevoir. Par miracle, (est-ce l'effet de mon message sur le répondeur ?), il ne s'est plus rien passé de la nuit. L'entrepôt n'a pas sauté et quand on est sorti au petit matin à l'arrivée de l'équipe de jour, tout était calme aux alentours.

J'ai de nouveau exercé mon autorité sur Mateo en lui demandant d'écrire sur le registre ce qui s'était passé cette nuit-là. Comme j'avais laissé un message sur le répondeur du numéro à appeler en cas d'urgence, Mateo n'a pas pu refuser d'écrire, il ne le pouvait pas. Monsieur Abou est maintenant averti des menaces qui pèsent sur son entrepôt. À moins qu'il n'ait voulu faire une expérience pour voir comment on réagissait ? Mateo pense que le répondeur est branché sur l'un des téléphones du commissaire qui protège aussi monsieur Abou. Il a dû envoyer une voiture de police à l'entrepôt qui a fait fuir ceux qui voulaient le faire sauter. Mateo est plus que jamais pressé d'avoir ses faux papiers et sa nouvelle identité.

Amid est passé en coup de vent. Lili, inquiète, a voulu savoir si j'étais venu le voir comme elle me l'avait demandé et ce que je faisais maintenant en France. Amid ne lui a pas dit qu'il m'avait envoyé chez Aigle d'Or, de peur qu'elle lui reproche de ne pas m'avoir accueilli chez lui. Il s'est décidé à lui répondre, craignant peut-être qu'elle ne débarque un matin par le bus Tamza-Paris. Maintenant qu'Ama s'est noyée dans la mer, elle pense qu'elle a envers moi la responsabilité d'une mère. Elle se fait beaucoup de soucis, sachant tout ce qui peut arriver aux clandestins en France.

Amid m'invite à venir déjeuner dimanche au pavillon, sûrement pour que je dise à Lili qu'il prend soin de moi et que sa maison m'est ouverte. Je lui dirai que tout va bien et que je vais bientôt obtenir un rendez-vous avec quelqu'un qui travaille dans le cinéma. Je sais que cette nouvelle la fera rêver. Elle a besoin de rêver pour continuer à vivre. Amid est soulagé d'avoir enfin repris contact avec moi et de pouvoir rassurer Lili à mon sujet. Il a mis du temps, sûrement parce qu'il n'avait pas envie de venir à l'ancienne gare de Loisy, de crainte d'être surveillé par les gendarmes. Ce n'est pas parce que le commissaire protège monsieur Abou et Aigle d'Or qu'il le protège lui, au contraire. Le commissaire doit prouver à ses supérieurs qu'il fait bien son travail et qu'il contrôle la situation à Loisy.

Avec la guerre ouverte qui s'est déclarée entre Ange Noir et monsieur Abou, il ne sait plus trop s'il doit continuer à soutenir ses anciens amis.

Amid m'a apporté une caisse de vin, un nouveau cadeau d'un de ses clients. Je le remercie chaleureusement. Je vais pouvoir la boire avec Mateo.

Le départ de Mateo

Aigle d'Or vient de nous annoncer qu'on avait congé pour une durée illimitée. Monsieur Abou a décidé de fermer son entrepôt. C'est comme si on était mis au chômage. On ne touche plus rien. Aigle d'Or veut bien nous faire crédit pour la location du wagon le temps qu'on trouve un autre emploi. Mais il n'a aucun travail à nous proposer.

Mateo n'est pas surpris : « Monsieur Abou a pris la menace de l'autre nuit au sérieux. Il ferme l'entre-pôt. Il ne le rouvrira pas. Il va continuer ses affaires en dehors de Loisy. Pour moi, ça ne change rien puisque demain j'aurai quitté l'ancienne gare. Mes papiers et mon billet sont arrivés. Je peux partir, destination Bogota. Un ancien ami de mon père m'attend là-bas, avec qui je suis en contact. Mais je m'inquiète pour toi. Si Aigle d'Or ne t'a pas proposé un nouveau travail, c'est signe qu'il est en train de perdre ses amis. Les employeurs de clandestins ne s'adressent plus à lui. »

Je remercie Mateo pour son hospitalité. Grâce à lui, j'ai mené une vie confortable dans le wagon. Je lui dis qu'il est mon ami et qu'il peut m'écrire, à l'adresse d'Amid. En cas de besoin, je serai toujours là pour l'aider. Qu'il ne s'inquiète pas pour moi. Il ne me doit rien. Je vais me débrouiller. Je n'ai aucun regret que l'entrepôt soit fermé. Je ne pouvais pas imaginer d'y travailler sans lui. J'y aurais perdu la raison. Il ne faut pas que je reste à Loisy parce qu'après je n'arriverai plus à partir, j'y aurai trop d'habitudes, surtout que je suis en train de m'attacher à Sanson. Je ne peux pas continuer de vivre ici à cause d'un cheval, quel que soit mon lien à lui !

Pour la première fois depuis mon arrivée, nous avons une nuit entière à passer ensemble dans le wagon puisque nous ne travaillons plus à l'entrepôt. Ce sera notre première et notre dernière nuit. Mateo part à l'aube pour ne pas avoir à dire adieu à Lola. À cette heure-là, elle chante encore au Bamako Palace. Il a refusé d'avoir une histoire avec elle, pour ne pas avoir d'ennuis avec Aigle d'Or et pour pouvoir partir sans regret. Moi aussi, comme Mateo, je ne dois m'attacher à rien ni à personne, sauf dans l'instant. Mateo est un exemple que je dois suivre. Il va falloir que je fasse un grand effort sur moi-même.

Pour notre première et dernière nuit dans le troisième wagon de l'ancienne gare de Loisy, Mateo a cuisiné un plat de fête. Nous buvons ce qui nous reste du vin donné par Amid. Mateo est très élégant dans son beau costume en lin blanc, avec une chemise en soie couleur framboise. Il a mis son air préféré, un morceau introuvable de Duke Ellington enregistré sur une vieille cassette. Je ne savais pas qu'il aimait le jazz. Je l'invite à danser. C'est la première fois que j'invite un homme à danser. Protégé par l'ivresse et par son départ si proche, je l'enlace comme j'en ai eu le désir à chaque fois que je l'ai regardé dormir dans le wagon. Je n'ai pas honte de mon désir pour lui. Je le prends comme un cadeau. Il répond à mon désir comme s'il attendait notre étreinte. Je ne lui demande pas comment c'est, mais pour moi c'est une expérience bouleversante. Nous jouissons ensemble longtemps, sans nous retenir. Mateo m'a donné une autre jouissance que celle qu'Ama m'avait donnée, une jouissance qui me libère et me rend ma fierté d'être un homme.

Juste avant que le jour se lève, Mateo me dit adieu. Il me laisse tout ce qu'il y a dans le wagon. Je lui dis merci, surtout pour les livres, et bonne chance. Avec lui, j'ai vécu ce qu'il me fallait vivre pour me donner la force et l'assurance d'être un clandestin en France.

Quand la porte du wagon s'est refermée derrière lui, j'ai pleuré. Ça me fait du bien de pleurer, comme s'il y avait en moi un bloc de pleurs gelés qui se mettaient à fondre à l'occasion du départ de Mateo.

Quand mes pleurs ont été taris, je me suis endormi. Je peux dormir autant que je veux puisque le travail à l'entrepôt, c'est fini.

Je me réveille juste à l'heure d'aller déjeuner chez Amid. Je marche sur le chemin qui mène à la route quand Aigle d'Or me dépasse au volant de sa Mercedes. Il me demande où je vais. Je lui réponds : « Chez Amid ». Il propose de me conduire jusqu'au garage, il en profitera pour faire le plein.

Il me dit, en souriant gentiment comme s'il devinait ma tristesse et cherchait à me consoler : « Alors te voilà seul dans le troisième wagon. Mateo est venu me dire au revoir avant de partir. J'avais promis à son père de veiller sur lui au cas où il lui arriverait un malheur. J'ai tenu ma promesse. Mais il était temps qu'il parte, sa fréquentation d'Ange Noir allait finir par lui jouer un mauvais tour. Ne suis pas son exemple. Surtout ne travaille pas pour les bandes d'Ange Noir. Ça finirait mal pour toi. Je suis de plus en plus isolé à Loisy. Mes amis me lâchent. Le commissaire ne veut pas d'ennuis avec le maire. Il me conseille de partir de mon plein gré parce que de toute façon ma situation dans l'ancienne gare est illégale. Le maire peut m'en chasser quand il le voudra. Il n'a même pas besoin de demander au commissaire d'intervenir, il lui suffit d'en parler à Ange Noir. Le maire de Loisy est la plus grande ordure de toute la banlieue nord et au-delà. »

Je monte dans la Mercedes. Je pense à Mateo. Il a

semblé partir confiant, en quête d'une nouvelle aventure, mais c'était peut-être pour me donner le change. Ce qu'il a entrepris ne lui a pas réussi jusqu'à présent. Que va-t-il faire à Bogota ? Toute une part de lui me reste inconnue. Il ne m'a presque rien livré de lui.

Après un moment de silence, Aigle d'Or me dit, comme s'il était sous le coup d'une inspiration subite : « Je sais ce que tu ressens. Sans Mateo à tes côtés, tu ne sais plus quoi faire. Tu as peur de ne pas réussir à faire du cinéma et tu te demandes s'il y a un avenir pour toi en France. J'ai une proposition à te faire. Je t'ai dit que j'avais placé de l'argent en Suisse, pour Toméo. La moitié de cet argent est pour toi si tu m'aides à faire sauter la maison du maire et lui avec. J'ai écrit un article pour les journaux où je raconte tout ce que je sais sur lui, toutes ses turpitudes et ses liens avec Ange Noir et ses bandes. Tu sais manier la dynamite mieux que moi. J'ai des explosifs cachés dans la gare. Dès que tu auras fini ton travail, tu pourras prendre l'avion et rejoindre Mateo à Bogota. Moi aussi, je sais comment obtenir de faux papiers. La maison du maire n'est pas gardée. Ce ne sera pas difficile pour toi d'y entrer pendant son sommeil. Il ne se doute pas quelle belle fin je lui prépare. Tu ne trouves pas que ce serait la meilleure façon de quitter l'ancienne gare de Loisy ? Lola serait délivrée de moi. Elle pourrait enfin partir en tournée avec ses musiciens. Je l'ai toujours empêchée de partir. Elle serait libre de faire ce qu'elle veut, même le pire. J'imagine déjà ce qu'ils écriraient dans les journaux : Des terroristes africains liés au MLPO viennent de faire sauter la maison du maire de Loisy. La France est désormais menacée. Le plan Ortec de lutte contre le terrorisme international est déclenché sur tout le territoire. On les aurait bien eus ! Qu'est-ce que tu en penses ? »

Aigle d'Or éclate de rire, un rire strident et fou. Il se prend pour Aigle d'Or, le héros de bande dessinée que je lisais avec Sina au collège. Il me regarde d'un air halluciné, comme s'il m'offrait le paradis. Je ne veux pas travailler pour lui. Son histoire n'est pas la mienne. Je ne veux pas aller rejoindre Mateo à Bogota. Qu'est-ce que j'y ferai ? Je lui réponds que pour moi les attentats c'est fini depuis longtemps. J'ai passé presque la moitié de ma vie en prison à cause d'une tentative d'attentat qui a échoué. Je me moque bien des turpitudes du maire de Loisy. Je ne suis pas un justicier ni un kamikaze. Il ne faut pas qu'il compte sur moi, je le lui dis franchement, malgré le risque que je prends qu'il menace de me livrer à la police, ou pire encore. Mais il n'insiste pas, comme s'il avait joué avec moi et qu'il avait perdu, sans même en être affecté. Il y a en lui le sentiment d'un échec et d'une perte irrémédiables.

Il s'arrête devant le garage d'Amid. Je descends de sa Mercedes, décidé à ne plus le revoir. Il repart sans faire le plein et sans rien me dire.

Je suis si bouleversé que je ne peux cacher à Amid

ce qui vient de se passer. Il a peur qu'Aigle d'Or ne soit en train de perdre la raison. Il se sent responsable de m'avoir envoyé chez lui. Que dirait-il à Lili s'il m'arrivait quelque chose ?

Il me reconduit immédiatement à l'ancienne gare chercher mes affaires. Aigle d'Or n'est pas encore de retour et Siegfried fait comme s'il ne remarquait rien. Je n'ai eu aucun contact avec lui depuis mon arrivée. Il contrôle tout et fait ses rapports, sans jamais parler aux locataires. Je laisse dans le troisième wagon les affaires que Mateo n'a pas emportées, sauf le livre de poésie chinoise. C'est un livre à lire et relire. Je suis loin d'avoir tout compris. Ce sera mon souvenir de Mateo, une façon de rester avec lui. Juste avant de partir, je dis adieu à Sanson. Ça me déchire le cœur de le quitter. Je ne croyais pas m'être attaché à lui avec une telle force. Il semble comprendre ce que je lui dis. Il hennit longue-ment, pour me dire adieu et me souhaiter bonne chance. Il doit se demander ce qui l'attend.

Nous revenons au pavillon sans rien dire. Je suis encore sous le choc de la folle proposition d'Aigle d'Or. Cette fois, Amid a préparé lui-même le déjeuner. Sa cuisine a exactement le goût de la cuisine de Lili et d'Ama. J'en ai les larmes aux yeux tellement c'est bon. J'ai un moment de doute. Qu'est-ce que je fais à vouloir vivre clandestinement en France errant d'un lieu à un autre en quête d'un logement et d'un travail, alors que j'aurais pu rester à Tamza dans la maison de Lili qui était la maison d'Ama, et essayer d'y refaire ma vie après la prison ? Qui dit que je n'aurais pas eu ma chance ? J'aurais peut-être pu réaliser mon premier film et essayer de me faire un nom dans le cinéma. Tamza a besoin de nouveaux cinéastes. Pourquoi m'être lancé dans cette aventure risquée ? Est-ce que je n'ai pas eu assez mon compte ? Je ne peux même pas prendre le bus pour Tamza. Clandestin, je ne peux rentrer que clandestinement. Mais alors, comment ressortirais-je ? Lili ne pourrait pas deux fois me payer le passage.

Ce dimanche avec Amid, en savourant ces plats que je mangeais autrefois, bercé par les voix d'Ama et de Lili, je m'avoue combien je suis attaché à Tamza. En partant, j'avais refoulé cet attachement qui s'enracine au plus profond de moi. Devinant ce que je ressens, Amid me dit avec émotion : « Tu es comme moi, tu as le mal du pays. Il ne fallait pas partir. Moi aussi je me demande ce que je fais ici ! Tu vas me dire que je peux revenir quand je veux. Je n'ai qu'à vendre mon pavillon et mon garage et vivre à Tamza comme un pacha jusqu'à la fin de mes jours. J'épouserais enfin Lili et elle s'occuperait de moi, je n'aurais plus aucun souci à me faire. Mais je sais que ce n'est pas possible. Le mal du pays, je le porterai en moi jusqu'à la fin. Il n'y a aucun remède, surtout pas le retour à Tamza. Ne t'inquiète pas, je ne vais pas te laisser dormir à la rue. Cette nuit, tu peux dormir ici. »

Le quartier des Perles

Amid veut profiter que c'est dimanche et que son garage est fermé pour aller rendre visite à Paris à madame Zabée. Il va me la présenter dans l'espoir qu'elle aura un travail pour moi. C'est une amie à lui. Il l'a connue à son arrivée à Paris. Elle vivait alors avec Ali qui a une épicerie dans le quartier des Perles, dans le dix-huitième arrondissement. Ali est originaire de la région de Tamza et c'est chez lui qu'en arrivant Amid a été hébergé à Paris. À cette époque, la France donnait des visas à tout le monde, il n'avait pas eu besoin de venir en clandestin. Ali n'a pas pris de risque en héber-geant ses amis de Tamza. Il y en a beaucoup qui ont habité chez lui. Il s'est occupé de chacun et à chacun il a trouvé un travail à sa convenance.

Amid ne tarit pas d'éloges à propos d'Ali : « C'est un cœur en or. Comme notre sauveur. Sans lui, on aurait galéré comme terrassier sur les chantiers ou ouvrier d'usine à Boulogne-Billancourt. Il nous disait : Vous ne méritez pas ça, je vais vous trouver un vrai job qui vous permettra de devenir un monsieur. Lui, avec son épicerie, il se considère comme un monsieur.

Son épicerie est beaucoup plus qu'une épicerie, tu le découvriras par toi-même. Et Ali est plus qu'un monsieur, c'est un vrai cheikh qui règne sur les anciens de Tamza. » Amid ne m'a jamais parlé d'Ali. Je me demande pourquoi il ne m'a pas envoyé chez lui dès mon arrivée. Il voulait peut-être m'éprouver en m'envoyant chez Aigle d'Or ?

Madame Zabée ne vit plus avec Ali depuis longtemps. Elle a fait son chemin seule en voyageant de par le monde. À son retour, elle s'est installée près de l'épicerie d'Ali parce qu'elle se sent chez elle dans le quartier des Perles. Avec l'argent qu'elle a gagné en voyageant, elle s'est acheté une ancienne fabrique au fond du passage du Soir. Elle l'a faite refaire grâce aux amis d'Ali qui s'y connaissent dans le métier et elle a ouvert une pension de famille. Sa pension, c'est son œuvre à elle, comme l'épicerie est l'œuvre d'Ali. Le passage du Soir et l'épicerie d'Ali qui se trouve au coin sont situés en plein cœur du quartier des Perles, où vivent des immigrés, des clandestins, des réfugiés, des hors-la-loi et des marginaux de toutes nationalités. C'est un quartier à part que la police contrôle sans trop se montrer. Elle a ses indicateurs et ses hommes de main.

Amid se sent chez lui dans ce quartier : « C'est là que j'ai vécu, c'est là que je reviens. Quand elle a ouvert sa pension de famille (je travaillais alors pour Ali), madame Zabée a eu besoin de moi. Je l'ai aidée à démarrer et à faire connaître sa pension dans le quartier et au-delà. Dès qu'elle a eu son affaire en main, pour me remercier, elle m'a fait rencontrer un de ses amis qui vendait son garage et son pavillon de Loisy. Elle m'a dit : C'est exactement ce qu'il te faut, devenir patron à ton tour et travailler à ton compte. Elle avait un faible pour moi et moi pour elle. Elle était contente de s'occuper de mon avenir. Elle savait que je lui resterais fidèle et qu'elle pourrait compter sur moi en cas de coup dur. Je suis toujours content de venir la voir, même si je me déplace moins souvent à Paris parce qu'en ce moment beaucoup de choses se passent à Loisy. Je n'ai jamais parlé de madame Zabée à Lili parce qu'elle n'aurait pas compris. Lili, il faut la protéger. Elle vit dans son monde. C'est un être à part. »

Amid ne veut pas aller à Paris en voiture, à cause des embouteillages du dimanche soir. Alors on prend le RER jusqu'à la gare du Nord et on marche à pied jusqu'au quartier des Perles. C'est la première fois que je marche dans Paris. J'ai l'impression d'arriver d'une autre planète. Le boulevard qui conduit droit au quartier des Perles me paraît immense. Je n'ai jamais vu d'immeubles aussi hauts et aussi imposants. J'ai du mal à respirer. Amid m'explique que c'est à cause de la pollution. Il me rassure en me disant qu'on s'habitue.

On tourne à droite, puis à gauche, puis encore à droite et on se retrouve au coin du passage du Soir, juste devant l'épicerie d'Ali. Le rideau de fer est tiré. Maintenant qu'il est vieux, Ali prend du bon temps et il ferme le dimanche. Le passage du Soir est très étroit et obscur, même en plein jour. Les immeubles appartiennent à des immigrés qui les louent à des immigrés qui les sous-louent à des clandestins. La police laisse faire et puis un jour, sans qu'on sache pourquoi, elle vient faire un contrôle. Les plus malins sont prévenus avant, les autres se retrouvent au poste. Quand ils savent s'y prendre, ils réussissent à regagner très vite le passage du Soir. De cette façon, la police arrive à bien contrôler le quartier des Perles. Un certain ordre y règne parce que chacun y trouve son compte.

La pension de famille de madame Zabée, tout au bout du passage, est entourée d'un petit jardin arboré. Madame Zabée en est très fière. Elle y a installé une tonnelle pour ses pensionnaires. Elle entretient elle-même son jardin. Elle a une petite serre où elle fait pousser des espèces rares et exotiques. Le jardinage est devenu son occupation favorite. La pension semble endormie. Les pensionnaires travaillent toute la nuit et dorment une partie de la journée. Le dimanche, la pension fait relâche.

Madame Zabée est contente de revoir Amid. Il est toujours le bienvenu à la pension. Elle s'excuse de nous recevoir dans sa tenue de jardinier, elle était justement en train de tailler ses rosiers. Elle est grande et corpulente. Avec son chignon noir et ses grands anneaux aux oreilles, elle ressemble à une gitane. Amid lui raconte mon histoire et lui demande si elle aurait un travail pour moi. Elle lui répond que ce n'est pas impossible. Depuis un mois, son gardien de nuit est parti. C'est elle qui le remplace, parce que jusqu'à maintenant elle n'a pas retrouvé quelqu'un de confiance. « Tu sais combien je suis exigeante pour le gardien de nuit. Le bon fonctionnement de la pension repose sur lui. Je dois lui faire une entière confiance. »

Puisque Amid me recommande, elle veut bien m'embaucher à l'essai. C'est une grande faveur qu'elle me fait. Elle m'obtiendra des faux papiers pour que j'aie l'air en règle. L'inspecteur chargé de la surveillance de la pension s'en satisfera. C'est un habitué et il ne demande qu'à faire plaisir à madame Zabée qui le lui rend bien. Jusqu'à maintenant, il n'y a jamais eu de problème, l'inspecteur a une excellente réputation et ses chefs l'ont en grande estime.

Madame Zabée m'interroge longuement sur mon passé dans le Mouvement et sur mes années de prison. Elle a toujours eu de la sympathie pour le Mouvement, même si elle ne fait pas de politique. Elle me répète plusieurs fois qu'à la pension je ne dois pas faire de politique. Je la rassure en lui disant que j'ai rompu avec mon passé et que mon seul projet en venant en France est de faire du cinéma. En lui faisant cet aveu, je conquiers sa sympathie. Le cinéma l'a toujours fait rêver. *L'Hôtel du Nord* est son film culte. Sa pension de famille ressemble à un décor de film. Elle est ravie d'embaucher comme gardien de nuit un ancien révolutionnaire de Tamza qui vient de passer presque la moitié de sa vie en prison et qui veut faire du cinéma. Elle doit penser qu'avec moi comme gardien de nuit, elle ne s'ennuiera pas.

Alors c'est décidé, je commence demain soir. Je serai logé dans une petite chambre aménagée pour le gardien de nuit dans le grenier, et je prendrai mes repas à la table d'hôte avec les pensionnaires. Madame Zabée, en plus du jardin, fait elle-même la cuisine. Le salaire qu'elle me propose est correct, étant donné que je suis logé et nourri, avec en plus des faux papiers pour pouvoir aller et venir dans Paris sans craindre d'être arrêté comme un sans-papiers. L'affaire est conclue. Je n'ai pas besoin de signer de contrat. L'engagement de madame Zabée est un engagement oral. Amid la remercie et lui dit à bientôt. Je la remercie et lui dis à demain.

Amid me donne une tape amicale sur l'épaule. Il a l'air vraiment soulagé que j'aie pu échapper à Aigle d'Or et que ma situation se soit si vite arrangée. On sort du quartier des Perles par la rue Dumour qui débouche sur le canal Saint-Martin. C'est l'endroit de Paris qu'Amid préfère. On marche lentement le long du canal. Amid est silencieux, il semble perdu dans ses pensées. Je me demande ce qui m'attend à la pension de famille de madame Zabée. Malgré cette inconnue, je considère que c'est une chance d'avoir retrouvé si vite un logement et un salaire. Je le dois à Amid qui pour la deuxième fois me vient en aide. On dirait qu'il m'a pris en amitié. Je suis content de quitter Loisy et de venir vivre à Paris. Le quartier des Perles me fait penser à certains quartiers de Tamza, comme un décor de cinéma par rapport à la réalité.

On continue de marcher en silence jusqu'à l'écluse qui se trouve devant l'Hôtel du Nord. Amid m'explique que l'hôtel n'existe plus, seule l'enseigne est restée, en souvenir du film. Ça confirme mon impression d'être à Paris comme dans un décor de cinéma. On regarde plusieurs fois l'écluse s'ouvrir et se fermer. Amid m'explique comment elle fonctionne. Il connaît tout sur les écluses du canal Saint-Martin.

Je remercie Amid pour ce qu'il fait pour moi. Il me répond d'un air énigmatique : « Ne me remercie pas. Ça me fait plaisir de te venir en aide. Ça me donne une meilleure opinion de moi-même. Tu pourrais être mon fils, après tout. Ça me fait drôle parfois de penser que je vais mourir seul à Loisy sans descendance et sans héritier. »

On reprend le RER. Toutes les places assises sont prises. On doit rester debout serré l'un contre l'autre jusqu'à Loisy. On rentre au pavillon à pied, une demi-heure de marche, parce qu'on vient juste de rater le bus et qu'avec le vent qu'il fait on se serait gelé à l'attendre, d'autant que le dimanche les horaires sont irréguliers.

Pour nous réchauffer, Amid descend à la cave chercher une bouteille de vodka et une boîte de caviar. Il me dit : « Il faut fêter ton embauche chez madame Zabée. Tu ne vas pas t'ennuyer à la pension de famille du passage du Soir, ça te changera de l'entrepôt de monsieur Abou. Quelle chance que son gardien de nuit soit parti et qu'elle ne l'ait pas remplacé. »

Dans la cave de son pavillon, Amid a un garde-manger rempli de produits gastronomiques qu'il conserve précieusement pour passer un bon moment avec ses amis. C'est son plus grand plaisir et l'assurance d'avoir toujours de la visite.

La pension de famille de madame Zabée

Ma chambre est mansardée avec le lavabo et les toilettes dans un coin cachés par un paravent en bois sur lequel sont dessinés des fleurs de lotus et des oiseaux. Depuis ma fenêtre, je vois les toits de Paris et le clocher de l'église Sainte-Ursule située en bordure du quartier des Perles. Toutes les heures, j'entends sonner les cloches. Il y a des pigeons et des moineaux qui viennent picorer sur le rebord de ma fenêtre. Le ciel est bas et couvert depuis mon arrivée, mais quand il y a une éclaircie au milieu de la journée, la lumière entre dans ma chambre qui est située plein sud. Pour la première fois je dispose d'une chambre à moi. J'en ressens du bien-être et un sentiment de liberté : j'ai un endroit où je peux être enfin seul avec moi-même. C'est une expérience nouvelle. Chez Ama et Lili, je dormais dans la pièce commune et en prison j'ai toujours partagé ma cellule avec d'autres détenus.

Madame Zabée habite comme moi le grenier de sa pension de famille. Elle tient à laisser les plus belles chambres à ses pensionnaires. Elle s'est aménagé un petit appartement très cosy, avec des tentures brodées sur les murs et des objets décoratifs qui viennent du monde entier exposés sur des étagères, souvenirs de son voyage autour du monde. C'est difficile de lui donner un âge parce qu'il semble varier d'un moment à l'autre de la journée, en fonction de ses coiffures et de ses tenues qu'elle n'arrête pas de changer. Son visage lisse est toujours parfaitement maquillé. Elle porte des vêtements exotiques qui lui donnent un genre. Elle aime aussi beaucoup les bijoux, elle en a toute une collection, de tous les pays où elle a habité. Au cours de son grand voyage, elle a toujours travaillé dans les hôtels. Elle est fière de dire que sa pension de famille est son premier chez-soi et qu'elle a beaucoup travaillé pour l'acheter et l'aménager comme elle le souhaitait. Elle veut que ses pensionnaires aussi s'y sentent chez eux. Sa pension est très bien tenue. Elle veille à tout, soucieuse du confort de chacun. Elle ne ménage pas sa peine et semble ne vivre que pour sa pension. Elle aime jouer à dérouter son interlocuteur, afin qu'il ne puisse pas se faire d'elle une image fixe. Avec elle, je ne peux être sûr de rien, même si tout en apparence paraît bien établi.

Je n'ai pas un emploi du temps très différent de celui que j'avais à Loisy. Je remonte dans ma chambre vers huit heures du matin. J'attends toujours que madame Zabée vienne me dire que ma nuit de travail est terminée. Elle est plutôt ponctuelle et respectueuse de mes horaires. Je dors alors jusqu'au début de l'après-midi. Les pensionnaires se lèvent à la même heure que moi et je déjeune avec eux à la table d'hôte. Madame Zabée profite de ce que la pension est endormie pour faire le ménage, les courses et la cuisine. Économe, elle n'a pas d'employé de maison. Elle veut tout faire elle-même.

Après le déjeuner, je vais me promener. Je traverse le quartier des Perles et remonte le boulevard jusqu'à la gare du Nord. Je descends ensuite en direction de la Seine. Je longe les quais en marchant doucement. C'est une telle émotion pour moi de me promener seul à Paris. J'ai besoin de marcher, de marcher sans m'arrêter. Je ne m'éloigne pas de la Seine, qui est mon repère comme le canal Saint-Martin l'était pour Amid quand il vivait à Paris. Je n'ose pas m'asseoir sur un banc ni entrer dans un café. Avec mes faux papiers, je me sens autant dans l'illégalité qu'un sans-papiers. Tant que je marche, j'ai l'impression d'être en sécurité parce que je me fonds dans la foule. Madame Zabée a insisté pour que j'aie toujours mes papiers sur moi, en cas de contrôle d'identité, mais ça ne me rassure pas, puisque ce sont de faux papiers. À Saint-Michel, je reprends le métro jusqu'à gare du Nord et je reviens ensuite à pied au passage du Soir en prenant le chemin le plus direct, car c'est l'heure de rentrer dîner, juste avant de commencer ma garde de nuit. Je dîne presque toujours seul parce qu'à cette heure-là les pensionnaires sont déjà occupés dans leurs chambres. La nuit pour eux commence plus tôt que pour moi.

À mon retour de promenade, je ne manque jamais d'aller saluer Ali. Il a fini sa sieste et il est toujours dans sa boutique en fin de journée. Je lui achète ce dont j'ai besoin. On trouve de tout dans son épicerie. Il est originaire d'un petit village situé au sud de Tamza. Quelle coïncidence que ce soit justement dans ce village, dans la maison de l'instituteur, que je me sois fait arrêter alors que je dormais paisiblement dans les bras d'Ama. Je ne le dis pas à Ali pour ne pas lui rappeler mon passé. À la différence de madame Zabée, il n'a jamais eu de sympathie pour le Mouvement. Il me l'a fait clairement entendre. D'après lui, il n'y a pas de meilleur régime que celui de Tamza. S'il a choisi de vivre à Paris, ça n'a rien à voir avec la politique, mais avec les affaires. Il me dit en riant que son épicerie est comme une ruche, elle fabrique le meilleur miel. Je me demande bien ce qu'il fait de l'argent gagné avec son miel, car il travaille dur et semble vivre dans des conditions modestes. Chaque homme a un secret, percer ce secret serait mortel : c'est ce que dit l'un des poèmes chinois que je médite durant mes gardes de nuit en pensant à Mateo. J'ai l'impression qu'il est parti depuis longtemps. Je ne veux pas m'avouer qu'il me manque. Je ne veux plus penser à l'ancienne gare de Loisy.

Ali m'invite toujours à boire un verre de thé dans son arrière-boutique. Il ne boit pas d'alcool et n'en offre pas à ses amis. Il me dit : « J'obéis à tous les préceptes de ma religion. Jusqu'à maintenant, j'ai la baraka. Dieu est grand et miséricordieux. Il protège le quartier des Perles et ses folies. Sans Lui qui veille sur nous, nous serions perdus ».

Je suis aimable avec Ali, mais réservé. Je n'ai pas envie qu'il essaie de m'embrigader. Ça ne marcherait pas et il m'en voudrait. Je ne veux pas savoir qui il fréquente dans le quartier des Perles, à part madame Zabée. Il m'a laissé entendre qu'il a des contacts avec des immigrés originaires de Tamza qui ont réussi à Paris et que si je le désirais, il pourrait me les faire rencontrer. « Ils ont besoin d'un gars comme toi ». Je l'ai remercié, en déclinant son offre. Pas question pour moi de rencontrer le réseau de Tamza dont la réputation est connue jusqu'à la prison de Fort Gabo ! Je veux mener ma vie seul, même si je dois me passer de certaines protections et de certains avantages. Avec Ali, j'entretiens de bonnes relations, en gardant mes distances. Plusieurs fois, je l'ai interrogé sur madame Zabée, mais il a fait comme s'il n'entendait pas. Il ne tient pas à me parler d'elle.

La pension de famille de madame Zabée vit la nuit, comme le passage du Soir qui porte bien son nom. Je comprends maintenant pourquoi madame Zabée est si exigeante sur son gardien de nuit. Les pensionnaires ont sans cesse besoin de moi. Ils n'arrêtent pas de m'appeler. Je dois leur monter un café ou un alcool, aller leur acheter des cigarettes, ou bien un médicament, une pommade pour leur masser le dos, leur préparer un sandwich, venir leur remonter le moral les nuits où le travail faiblit et où l'un deux est malade ou en proie à une crise d'angoisse. J'apprends à être polyvalent : coursier, serveur, conseiller, psychologue, infirmier. Il y a souvent des petits incidents qu'il faut gérer pour éviter que ça tourne mal, par exemple un client qui se montre malhonnête et menaçant avec un pensionnaire, avec des exigences qui ne peuvent être satisfaites. Je dois alors venir en aide au pensionnaire pour que son client puisse quitter l'hôtel sans lui causer de tort. Je ne dois appeler madame Zabée qu'en cas d'incident grave. Elle travaille seulement le jour. La nuit c'est moi qui prends la relève. Jusqu'à présent, j'ai réussi à éviter les ennuis. Il me faut beaucoup d'ingéniosité et de savoir-faire. Je me découvre des talents que j'ignorais. J'entre dans un monde inconnu qui mystérieusement me paraît familier. Les pensionnaires sont satisfaits de moi.

Mais pourquoi est-ce que je dis ils en parlant d'elles ? Car en fait, je les appelle tous par leur surnom, qui est féminin. Ils, ou plutôt elles, sont sept : Sophia, Ingrid, Macha, Jeanne, Gréta, Lauren et Marylin. Elles gardent secrètes leur véritable identité, que seuls connaissent madame Zabée et l'inspecteur. Il les a toutes essayées avant d'élire Marylin comme seule digne de s'occuper de lui. Elles m'ont fait comprendre que c'est pour elles un soulagement d'avoir été répudiées par l'inspecteur. À la pension de famille, personne ne prononce son nom, comme s'il voulait garder l'anonymat. On l'appelle : l'inspecteur. Comme client, il a très mauvaise réputation. Comme inspecteur, elles n'ont pas à s'en plaindre. Il les laisse travailler sans jamais leur faire d'histoires. Il est trop attaché à madame Zabée pour risquer de se mettre mal avec elle. On ne peut pas savoir lequel des deux est le plus redevable à l'autre.

Chaque pensionnaire a une histoire douloureuse et vit de façon précaire. Sophia est originaire du Mozambique, Ingrid est libanaise, Jeanne arrive du Brésil, Gréta vient d'Ukraine, Macha de Turquie, Lauren a grandi dans un camp palestinien, Marylin est née dans le Caucase. La pension de famille de madame Zabée est pour chacune un refuge transitoire. Elles rêvent de changer de vie en allant vivre ailleurs. Elles se sentent proches de moi dont elles connaissent l'histoire, même si elles ont une façon de vivre qui n'est pas la mienne. J'ai beau être étranger à leur monde, j'en fais pourtant partie puisque je suis le gardien. Jamais je n'aurais pu imaginer qu'une telle expérience puisse m'arriver. Avant d'être gardien de nuit dans la pension de famille de madame Zabée, je n'avais jamais rencontré de travesti. Dans le Mouvement, on ne plaisantait pas sur ce genre de chose. Et en prison, un travesti qui se serait dévoilé n'aurait pas survécu.

Même quand elles m'exaspèrent, j'éprouve de la

sympathie pour elles. Je les trouve drôles et pleines de fantaisie. Elles aiment jouer des scènes inspirées des films cultes dont elles connaissent par cœur les scénarios. Leur surnom est un clin d'œil à l'actrice de leur rêve. Ce sont des comédiennes nées. J'aime leur façon provocante de s'habiller et de se maquiller. J'aime leurs gestes, leurs œillades, leurs voix rauques et enjôleuses. Chacune emprunte à l'autre ses robes, ses accessoires et même son accent, son vocabulaire et ses rôles. Elles jouent à se ressembler afin que les clients les confondent, ou à échanger leur surnom afin de créer la pagaille. Elles prennent des remontants et des drogues douces pour se donner le courage d'affronter les clients de nuit du passage du Soir. Leur travail n'est pas une partie de plaisir, je peux en témoigner. Les clients se permettent tout, dans la mesure de ce qui leur est permis. Ils ne les ménagent pas. Elles sont corvéables à merci. Malgré leur dureté et leur cynisme, elles sont fragiles. Elles s'exposent au danger, comme si elles défiaient leur vie.

Madame Zabée a interdit les drogues dures dans sa pension. La pensionnaire qui enfreint l'interdit est immédiatement renvoyée. Elle le répète régulièrement d'un ton solennel : « Pas de drogue dure à la pension. » Elle m'a demandé de surveiller les clients et d'expulser ceux qui se shootent aux drogues dures, car avec eux ce sont les graves ennuis qui commencent. L'inspecteur ferme les yeux sur les activités nocturnes des pensionnaires de madame Zabée à cette condition. Quand une pensionnaire se sent en manque, elle n'a qu'à partir. Ce ne sont pas les pensions de famille qui font défaut dans le quartier des Perles. Je fais semblant d'appliquer les ordres de madame Zabée, sans me faire d'illusion. Les pensionnaires et leurs clients font ce qu'ils veulent dans leur chambre, je ne suis pas là pour les surveiller. L'important est qu'il n'y ait pas de traces, ni de drame.

Pour s'amuser, les pensionnaires essaient de me séduire. Marylin est ma préférée. Elle m'invite dans sa chambre dès qu'elle a une pause. Elle a besoin de s'épancher. Elle me parle de son village natal dans le Caucase, qui n'existe plus parce qu'il a été bombardé sous prétexte que des terroristes y avaient trouvé refuge. Elle a perdu tous les siens. Maintenant, elle n'a nulle part où aller. Elle va là où le hasard la porte. Jouer à changer de sexe est sa façon de répondre au drame de sa vie, de se moquer de la vie, tout le temps. Il n'y a que ça à faire, dit-elle, brouiller les cartes et dérégler le jeu, s'étourdir et faire semblant, sans jamais s'arrêter, parce qu'alors ce serait l'effondrement. Je l'écoute me répéter ses histoires sans me lasser. Je la trouve magnifique dans sa robe à paillettes et son boa jeté autour du cou, avec ses faux cils et ses cheveux platine, couchée sur son lit où elle prend des pauses en attendant l'appel d'un client. Elle roule les r de façon outrancière et tout en elle est excessif et dérangeant. Elle dépense tout son argent à se faire faire des robes qui sont des copies de celles portées par Marylin dans ses films cultes. Elle les porte pour ses clients qui aiment Marylin. Mais elle aime jouer faux et se moquer d'eux. Au fond d'elle, tout au fond, il y a une petite fille perdue qui sanglote doucement. Elle finit peut-être par s'identifier à son héroïne, même si elle prétend le contraire. Elle m'intimide et je reste dans mon rôle de gardien de nuit prévenant et protecteur. Je ne veux pas profiter de ma position pour avoir ses faveurs. Je ne veux pas non plus susciter la jalousie des autres pensionnaires. Elles s'aiment tout en se haïssant. Leur complicité n'exclut pas de cruelles rivalités.

Madame Zabée a du respect pour elles, et peut-être plus. Je ne sais pas exactement quelles relations elle entretient avec chacune. Elle ne se dévoile pas, même dans ses moments d'abandon. Les pensionnaires lui sont reconnaissantes. Grâce à elle, elles peuvent travailler dans les meilleures conditions sans être harcelées par la police. Certains matins, quand les clients sont partis, à l'occasion d'un petit événement heureux (un anniversaire, une fête, un cadeau offert par un client, la perspective d'un voyage) c'est soudain la fête à la pension de famille de madame Zabée. Ingrid et Macha jouent de la musique pour accompagner Marylin et Lauren qui chantent à tour de rôle des chansons de leur village. Celui de Marylin a été détruit par une bombe russe et celui de Lauren a été rayé de la carte après avoir été rasé par les chars israéliens. Leur voix s'élèvent comme par miracle, sans aucun rapport avec leur voix ordinaire. Quand elles chantent, on dirait deux sœurs jumelles. Sophia danse à l'écart, sur une musique qu'elle est la seule à entendre. Gréta et Jeanne miment de façon grotesque les clients de la nuit. Madame Zabée apprécie ses moments d'intimité avec ses pensionnaires. Elle a pour chacune des gestes tendres, comme une adoratrice. Elle aime le spectacle et la fête. Malgré ma fatigue, je participe à la fête en me déguisant en reine de Sabah et je fais des offres extravagantes à Gréta et à Jeanne. Madame Zabée apprécie mon numéro. Elle trouve que je me suis vite adapté à mon travail et que la pension me réussit. L'essai est concluant. Je fais l'affaire comme gardien de nuit.

Quand il y a un moment de calme et que personne n'a besoin de moi, je regarde les informations à la télévision en zappant sur les chaînes étrangères. J'essaie de comprendre l'état du monde dont j'ai été coupé pendant ma détention à Fort Gabo. C'est un tel bouleversement, comme si toutes nos idées s'étaient noyées dans la mer et que le Mouvement, tel un vieux navire tout pourri de l'intérieur, avait sombré dans les grands fonds. J'ai l'impression de ne plus rien comprendre à ce qui se passe.

Comme madame Zabée et les autres pensionnaires, Marylin s'intéresse à mon projet de faire du cinéma. Elle voudrait jouer dans mon film. Elle dit qu'elle pré-

fèrerait jouer dans un film plutôt que jouer à être Marylin avec les clients. En s'amusant, elle me supplie : « S'il
te plaît Diego, écris un rôle pour moi afin qu'une fois
dans ma vie j'apparaisse à l'écran telle que je suis et
qu'on ne m'oublie pas. Tous les rôles que je joue ici
sont faux. Je voudrais enfin jouer un rôle qui soit le
mien et que je ne connais pas. S'il te plaît, fais-le pour
moi. »

J'entends la demande de Marylin, qui est aussi celle
de toutes les pensionnaires et même de madame Zabée.
Mais pour l'instant je suis incapable d'y répondre.
Comment leur inventerais-je un rôle alors que je n'ai
même pas commencé à écrire mon scénario ? Dès que
j'y pense, j'ai la tête vide. La demande de Marylin vient
trop tôt. Il faut qu'elle attende. Ma réponse la rend
triste. Elle me dit qu'elle ne peut pas attendre, qu'elle
est pressée.

Ça me crée un grand trouble de vivre entouré
d'hommes qui paraissent être des femmes. J'ai du désir
pour chacune des pensionnaires, et encore plus pour
Marylin, même si je ne me laisse pas aller. Toute la
nuit, je suis dans un état de grande excitation. Quand
je regarde les femmes marcher dans les rues de Paris,
je les trouve fades. Aucune ne retient mon attention.
Les femmes pour moi en ce moment, ce sont les pensionnaires de madame Zabée dont Marylin est la reine.

Madame Zabée s'est aperçu de mon attirance. Elle

ne m'interdit pas d'avoir des relations avec les pensionnaires, mais elle me met en garde. « Surtout, ne t'attache pas à elles, tu ne sais pas où ça te mènerait. Je les aime toutes, sinon je ne leur louerais pas mes chambres. Mais je sais aussi qu'elles sont déséquilibrées et que la plupart auront une triste fin. Ma pension n'est qu'un passage pour elles. Elles y restent quelques mois, un an, puis elles s'en vont, attirées par des propositions alléchantes et par l'envie de changement. Aucune n'arrive à se fixer. Quand j'ai de leurs nouvelles, j'ai envie de pleurer. Mais je suis comme toi, je suis sous leur charme et je subis leur attraction. Il n'y a qu'avec elles que je peux maintenant vivre. Je vais te donner un conseil. Fais du cinéma pour devenir toi-même, sinon tu risques d'être entraîné dans des aventures dans lesquelles tu risquerais de te perdre. Ta vie jusqu'à maintenant n'est pas une réussite. Elle pourrait mal finir si tu ne te prends pas en main. Personne ne peut faire ton film à ta place. C'est à toi de t'en donner les moyens. »

Madame Zabée m'a parlé franchement. À moi de réfléchir à ce qu'elle m'a dit.

L'inspecteur vient une fois par semaine. Il arrive toujours à vingt heures précises, quand la cloche sonne les huit coups à l'église Sainte-Ursule. Il porte le même costume, un costume trois pièces très strict et toute sa démarche est composée, comme si aucun de ses gestes n'était naturel et qu'il avait peur de montrer qui il est.

Il cherche à m'en imposer. Il me salue en me faisant une œillade comme si j'étais son complice. Complice de quoi ? Je lui réponds poliment sans lui faire d'amabilité. D'instinct, je me méfie de lui. Dès qu'il arrive, l'atmosphère de la pension change, sans qu'on puisse dire en quoi et comment.

Il dîne avec madame Zabée dans son appartement et passe un long moment avec elle. Puis il est reçu par Marylin qui le garde dans sa chambre jusqu'au matin, ce qu'elle ne fait qu'avec lui. Quand il quitte la pension, il a le visage décomposé et l'air hagard. Ça me met mal à l'aise pour la journée. J'essaie de parler de lui avec Marylin, mais elle reste bouche cousue, sûrement parce que c'est un client que madame Zabée lui a tout particulièrement recommandé. La nuit qu'elle passe avec lui, elle ne m'appelle pas. Elle n'a besoin de rien. Dans sa chambre, on n'entend aucun bruit. Tout se passe dans le plus grand secret. L'inspecteur me fait l'effet d'un homme en proie à une idée fixe.

J'ai dit à Marylin ce que je pensais de lui au risque de lui déplaire. Elle a haussé les épaules et puis elle m'a répondu : « Bientôt, tout cela sera fini. À quoi ça sert de se monter la tête et de se faire du souci ? Profite du temps où je suis là, au lieu de penser à l'inspecteur ». Je ne sais pas pourquoi sa réponse m'a donné un si grand cafard.

Un jour, à midi, je me réveille un peu plus tôt que d'habitude. Sans réfléchir à ce que je fais, je vais cogner à la porte de Marylin. Elle dort encore. Elle m'ouvre la porte, à moitié endormie, et elle m'enlace sans dire un mot, m'entraînant vers le lit. Je ferme les yeux et je me donne à elle comme si j'étais un homme dans les bras d'une femme en train de se métamorphoser en homme alors que moi je me métamorphose en femme. Marylin, c'est comme la chaussure de Cendrillon que j'aurais perdue. Elle est juste à mon pied. Mais à la différence de Cendrillon, je ne porte qu'une seule chaussure.

Les autres jours, je continue à aller réveiller Marylin et à faire l'amour avec elle juste avant le déjeuner. Elle ne m'accorde pas beaucoup de temps comme si pour elle le temps était compté, ou comme si elle ne voulait pas que je m'attache à elle. Elle est heureuse de me donner du plaisir, elle aime ma compagnie, mais elle n'est pas attachée à moi. Pour elle, je suis un gardien de nuit amical et sympathique, rien d'autre. Elle ne me reparle plus de son désir de jouer dans mon film, comme si elle ne croyait plus à mon projet. Comment un gardien de nuit de la pension de famille de madame Zabée pourrait-il réussir à faire un film ? C'est un rêve qu'il a pour l'aider à vivre. J'essaie de ne penser à rien d'autre qu'à ce moment passé chaque jour avec elle. C'est une expérience unique qui remet en question ce que j'ai été jusqu'à maintenant.

La rencontre avec Nelly

Il m'a fallu du temps pour me décider à téléphoner à Nelly. Je ne voulais plus entendre parler d'Aigle d'Or et j'avais peur qu'elle ne l'informe de mon appel. Mais elle est mon seul contact avec le cinéma. Que penserait de moi madame Zabée si elle me voyait renoncer à mon projet ? Je n'oublie pas la demande de Marylin d'avoir un rôle dans mon film, un rôle que j'inventerais spécialement pour elle. Je voudrais lui prouver que j'en suis capable, même si pour l'instant je doute de moi. En appelant Nelly, je me recommande d'Aigle d'Or, ainsi qu'il me l'a demandé. Elle me fixe un rendez-vous très vite, à l'heure qui me convient. Elle habite près de la porte de Choisy dans un vieil immeuble, un petit appartement qui donne sur une cour. Je ne connais pas ce quartier de Paris qui ne fait pas partie de mes promenades.

Elle vient m'ouvrir en s'appuyant sur une canne. Elle a une jambe dans le plâtre et des pansements sur le visage. Elle s'excuse de me recevoir ainsi : « Une voiture m'a renversée il y a une semaine alors que je sortais d'ici, un chauffard qui s'est sauvé et que la police n'a pas retrouvé. Je n'ai pas eu la présence d'esprit de relever le numéro de sa voiture tellement j'étais sous le choc. On aurait dit qu'il me prenait pour une autre, à qui il aurait voulu faire la peau, une histoire banale ici dans le quartier chinois où les règlements de compte se multiplient. J'aimais bien ce quartier, mais je me demande si je ne vais pas déménager. »

Elle me fait entrer dans un salon dont les murs sont recouverts d'affiches de cinéma. Je ne connais pas ces films qui ne faisaient pas partie du répertoire du ciné-club de Frère Tian. Elle tient tout de suite à se présenter, pour que je me sente plus à l'aise. « Aigle d'Or a dû vous dire que j'ai la passion du cinéma, depuis que je suis toute petite et que je voyais les affiches de film au Ciné Panorama d'Ivry. Je ne ratais aucune séance du jeudi. Je m'étais promis alors que ma vie serait consacrée au cinéma. J'ai tenu ma parole. J'ai fait tous les métiers, pour ne pas rater un tournage. Je n'ai pas fait fortune, comme vous le voyez. Je vis dans cet appartement depuis que j'ai vingt ans. Je l'avais loué avec Aigle d'Or juste avant notre mariage. J'avais dix-huit ans quand je l'ai connu et lui presque trente. J'ai eu le coup de foudre. Je l'ai rejoint dans le Mouvement. Il pensait alors que le cinéma et le Mouvement ne faisaient qu'un. Avec quelques amis, on avait créé La Licorne, une maison de production qui devait se mettre au service du cinéma révolutionnaire que nous rêvions d'inventer. Aigle d'Or voyait grand. Il se dépensait sans compter pour La Licorne, y investissant le petit héritage qu'il avait reçu de ses grands-parents. Nous avions du mal à démarrer, nos projets s'entassaient sans qu'on parvienne à les réaliser. Aigle d'Or étouffait à Paris où il trouvait qu'il ne se passait rien à sa mesure. Après sa rencontre avec Bogumbo, qui n'était alors qu'un étudiant révolutionnaire passionné de cinéma, comme nous, il a voulu partir en Afrique. Bogumbo l'avait persuadé que c'était en Afrique que l'Histoire se passait et qu'il avait besoin de quelqu'un comme lui pour l'aider à prendre le pouvoir et à faire la révolution. Je n'ai pas eu envie de le suivre parce que je n'étais pas attirée par l'Afrique. Je ne voulais pas renoncer à La Licorne. Nos chemins se sont séparés et nous avons divorcé. Ça ne s'est pas passé là-bas comme il l'avait rêvé. Après l'assassinat de Bogumbo, il a fait de mauvaises rencontres, il s'est laissé entraîner. Il s'est servi du Mouvement pour mener la grande vie et il a beaucoup perdu. J'ai eu de ses nouvelles de temps à autre. Il m'a laissé un message à son retour en France. Je n'ai pas répondu. Ça me ferait trop mal de le revoir maintenant. Il avait de grandes capacités et de grandes ambitions. Sa vie est un gâchis ».

Il y a de la souffrance dans sa voix. Je comprends ce qu'elle ressent. Je ne lui donne pas de nouvelles d'Aigle d'Or pour ne pas la troubler davantage. Elle est habillée en noir, sans recherche. Elle a des cheveux gris coupés courts, à la garçonne. Son visage, malgré ses pansements, est attachant et expressif. Elle me regarde droit dans les yeux, pour mieux retenir mon attention. Elle me change si brutalement des pensionnaires de madame Zabée que je me sens emprunté, peu sûr de moi. Elle m'offre un café et des gâteaux pour que je prenne le temps de me détendre. Elle m'interroge sur mon histoire et me demande comment j'ai eu l'idée de vouloir faire du cinéma.

Je reprends confiance, parce qu'il y a en elle quelque chose de rassurant et de bienveillant. Elle est étonnée de me découvrir aussi ignorant et aussi déterminé. Mon histoire ne la laisse pas indifférente, ni ce qu'elle appelle mon itinéraire. « Il faut que vous écriviez un projet de scénario à partir de votre histoire, parce qu'elle est emblématique. Vous avez des choses à raconter, j'en suis convaincue rien qu'à vous regarder et à vous écouter. Peu importe que vous ne connaissiez pas la technique. Vous devez écrire ce qui vous paraît important d'écrire. Trouvez d'abord votre sujet et vos personnages. Et puis revenez me voir. Si ça m'intéresse et si je trouve que ça en vaut la peine, je vous aiderai à retravailler votre scénario et puis j'essaierai de voir comment on peut trouver l'argent pour le tourner. C'est étrange qu'Aigle d'Or vous ait donné mon adresse. Vous êtes la première personne qu'il m'envoie. Ce doit être important pour lui. Il a dû vouloir faire quelque chose pour vous, quelque chose qui le concerne personnellement, sans en avoir l'air. C'est bien dans son genre. Il paraît qu'il a des ennuis à Loisy.

Ça devait lui arriver. L'Afrique ne lui a pas servi de leçon. Il se croit toujours le plus fort, comme quand il avait vingt ans. Vous avez bien fait de vous sauver de l'ancienne gare de Loisy. ».

J'ai l'impression qu'elle parle d'Aigle d'Or comme d'un personnage de cinéma, pas comme d'un ancien mari. Elle tient encore à m'offrir un whisky avant de partir, un très vieux whisky qu'elle boit quand elle doute d'elle-même et de sa vie, parce qu'il a un effet tonique et qu'il lui permet de ne pas sombrer. Elle n'est pas pressée que je parte. On dirait que je suis venu la voir juste au bon moment. En me quittant, elle me dit, avec beaucoup de chaleur dans sa voix : « Surtout, n'ayez pas peur de suivre votre idée, même si vous n'y connaissez rien au cinéma. J'attends votre prochain appel. Profitez de votre temps libre pour écrire, avant qu'il ne soit trop tard. Il ne faut pas laisser passer l'heure où l'on doit réaliser un projet. »

En sortant de chez Nelly, je me suis senti encouragé à réaliser mon projet, aussi insensé puisse-t-il apparaî-tre. Elle m'a fait regarder la réalité en face : vouloir faire un premier film quand on est ignorant du cinéma. Mais écrire un scénario, en sachant que Nelly m'aidera ensuite à le retravailler selon les règles de l'art, je devrais en être capable. Sinon mon projet n'est qu'un rêve, comme le croit Marylin, et alors ma vie en France n'a plus aucune raison d'être. Je continuerai à faire des gardes de nuit, d'entrepôt en pension de famille, jusqu'à me jeter dans la Seine et m'y noyer comme Ama, un soir où je n'en pourrai plus d'avoir perdu ma vie et de n'avoir aucun avenir.

Aigle d'Or m'aurait donc fait un cadeau en me donnant l'adresse de Nelly ? Et moi, je l'ai abandonné alors qu'il me demandait de l'aide. L'aide qu'il me demandait, je ne pouvais la lui donner. Sa demande était une provocation. Il devait bien se douter que je la refuserais. On peut très bien recevoir un cadeau de quelqu'un sans rien lui donner en échange, parce qu'alors on n'a rien à lui donner. Mais on a une dette, qu'il faut payer un jour pour être en règle. Si j'écris mon scénario et s'il intéresse Nelly, ce serait peut-être ma façon de payer ma dette à Aigle d'Or. Je ne l'ai pas oublié, même si je ne veux plus penser à lui. Dans mon scénario, il sera présent, comme tous ceux que j'ai rencontrés depuis mon arrivée en France. Ils sont tous des personnages de cinéma et ma vie depuis que je suis arrivé à la crique d'Ambre se déroule comme un scénario de film. L'important est de trouver comment l'écrire. Pour que mon histoire devienne un scénario, il ne suffit pas de raconter ce que j'ai vécu Il faut que je réussisse à en faire une fiction pour le cinéma. C'est cela qui me paraît jusqu'à maintenant impossible.

Pour la première fois depuis que je vis à Paris, j'entre dans un restaurant et je commande à déjeuner. La Muraille de Chine, c'est le nom du restaurant. Je commande au hasard sur la carte parce que je ne connais pas la cuisine chinoise. La salle du restaurant est presque vide, l'heure du déjeuner est déjà passée. Je me demande où je suis et qui je suis, comme si soudain j'avais une perte de mémoire. La serveuse a l'air pressé que je parte. Elle m'apporte l'addition juste après le dernier plat sans même me demander si je prends un café ou un dessert. Je ne proteste pas, comprenant qu'elle a besoin de se reposer avant le service du soir. Je sors rassasié de La Muraille de Chine.

Je reviens à pied sans me presser de la porte de Choisy jusqu'à la gare du Nord. J'ai encore beaucoup de temps devant moi avant de prendre ma garde de nuit. C'est l'occasion de découvrir un nouvel itinéraire. Je marche de mieux en mieux, sans me fatiguer. Je me demande si mon scénario ne pourrait pas être l'histoire de mon double. Je lui donne un nom : Samir. Grâce à son nom, il va peut-être pouvoir commencer à exister.

En arrivant au coin du passage du Soir, j'aperçois une ambulance garée devant la porte de la pension de famille de madame Zabée. Il faut que je monte très vite sur le trottoir car elle démarre en trombe en mettant la sirène. Les habitants du passage du Soir sont sortis, curieux de savoir quelle est la pensionnaire que l'ambulance conduit d'urgence à l'hôpital. À cette heure-là, il n'y a encore aucun client à la pension.

Madame Zabée avec autorité leur crie de rentrer chez eux. Elle a un air hagard.

Quand elle me voit arriver en courant, elle se met à crier comme si ce qui venait de se passer était de ma faute. « Jamais là quand on a besoin de lui, tous des bons à rien et des enculés ! », répète-t-elle comme une folle. J'ai envie de crier à mon tour, mais je me retiens. Je ne cherche pas encore à savoir ce qui vient d'arriver en mon absence. Je ne pense qu'à la colère que j'éprouve d'être ainsi insulté par madame Zabée devant les habitants du passage du Soir. Les après-midi, j'ai congé, ça fait partie de notre contrat. Elle sait bien que je ne suis jamais là et que j'en profite pour aller marcher dans Paris. À cette condition, je suis en forme pour mon travail de nuit qui est harassant, surtout pour les nerfs. Aujourd'hui, pour la première fois, parce que j'avais rendez-vous avec Nelly, je n'ai pas déjeuné avec les pensionnaires. J'ai quitté la pension vers onze heures. Elle a dû remarquer mon absence et elle ne supporte pas que je ne l'aie pas prévenue. Elle veut être au courant de tout. Par superstition, j'ai préféré ne pas lui parler de mon rendez-vous avec Nelly. Ce n'est vraiment pas de chance que ce soit justement aujourd'hui qu'il soit arrivé quelque chose à l'une des pensionnaires !

Elle se calme enfin et m'entraîne dans son appartement, sans me laisser le temps de poser la moindre question. J'ai le cœur qui bat la chamade. Les pensionnaires sont assises serrées les unes contre les autres dans le salon. Lauren, la plus proche amie de Marylin, est à l'écart, dans un état de prostration. Elle ne s'aperçoit même pas de ma présence. C'est alors que je comprends qu'il manque Marylin. C'est donc elle que l'ambulance emmenait d'urgence à l'hôpital. Mon Dieu, que lui est-il arrivé ?

Après avoir fermé la porte de son appartement à double tour (je me demande bien pourquoi, mais dans ces cas-là, c'est vrai, on a des réactions irrationnelles), madame Zabée m'explique ce qui est arrivé. « Qui a bien pu faire ça à Marylin ? Tous les clients l'adoraient. Ils la couvraient de cadeaux. L'inspecteur voulait même la demander en mariage et lui donner enfin une vie digne d'elle. Il voulait lui faire la surprise ce soir, pour son anniversaire. Il n'y avait que lui et moi à connaître la vraie date de son anniversaire ».

Je comprends alors que Marylin est morte puisque madame Zabée parle d'elle au passé. Je lui demande comment elle est morte. Dans son trouble, elle a oublié de me le dire. Elle se met à sangloter, en proie à une vision terrible. « C'est inimaginable ! Ma petite Marylin, défigurée, le corps lacéré de coups de couteau. Je tuerai moi-même de mes propres mains le monstre qui a commis un tel crime. »

Il faut qu'elle s'arrête de nouveau un moment avant de reprendre. « Ne la voyant pas sortir de sa chambre pour le déjeuner, Lauren est allée cogner à sa porte.

Elle n'était pas fermée à clé, elle est entrée. Marylin était étendue sur son lit, un bâillon sur la bouche. Un drap couvert de sang recouvrait son corps. Lauren retira le drap en poussant un hurlement. Je me précipitai dans la chambre. Lauren était évanouie au pied de Marylin. C'était une vision terrible. Jamais je ne pourrai l'oublier. »

Elle s'arrête encore un moment avant de reprendre. « Tout était si calme ce matin. Tout le monde dormait. Je suis allée faire mes courses sans me faire aucun souci. J'en ai même profité pour aller chez le coiffeur. L'assassin est entré et sorti sans que personne ne le voie. Il a dû commettre son crime dans le plus grand silence, sinon il aurait réveillé les pensionnaires, même si elles ont le sommeil lourd à cause de tous les somnifères qu'elles prennent pour pouvoir dormir. Tu te rends compte, il va y avoir une enquête. Il faut que j'avertisse l'inspecteur. J'ai mis beaucoup de temps à appeler l'ambulance, je n'arrivais pas à me séparer de Marylin. Tu ne peux pas savoir combien elle m'était chère. Je n'ai pas pensé à prévenir l'inspecteur. Comment va-t-il réagir quand il va apprendre l'assassinat de Marylin ? Tu sais l'attachement qu'il avait pour elle, une vraie passion. Tuée juste au moment où il voulait lui demander sa main ! Que va-t-il se passer ? »

La tête me tourne comme si j'allais m'évanouir. Si je n'avais pas eu mon rendez-vous avec Nelly, ça aurait été moi qui aurais découvert Marylin. J'avais l'habitude de cogner à sa porte pour la prévenir que le déjeuner était prêt. Nous faisions l'amour juste avant de descendre, c'était son seul moment de disponible. Je suis aussi égaré que madame Zabée. Elle sait que j'avais une histoire avec Marylin, même si on n'en a jamais parlé ensemble. À la pension, tout se sait. Je ne pourrais donc pas la cacher à l'inspecteur qui va venir faire son enquête. Je serai sur la liste des suspects. J'aurais très bien pu assassiner Marylin juste avant d'aller à mon rendez-vous chez Nelly, l'inspecteur ne manquera sûrement pas de me le dire. Quel hasard que je n'aie pas été présent au déjeuner, justement aujourd'hui !

Madame Zabée reprend peu à peu ses esprits. Je devine l'effort qu'elle fait sur elle-même pour affronter la situation en face. Elle ne veut plus penser à Marylin, mais à sa pension. Elle se décide à appeler l'inspecteur. Il est déjà informé de l'assassinat de Marylin par l'hôpital où l'ambulance l'a transportée. Il lui demande d'interdire à ses pensionnaires et à son personnel (c'est-à-dire à moi) de sortir de la pension. Il arrive immédiatement pour commencer les interrogatoires et mener son enquête. Ça me paraît incroyable que ce soit lui, le client le plus assidu de Marylin qui se prenait déjà pour son futur époux, qui soit chargé de l'enquête. Comment pourra-t-il la mener de sang-froid en toute objectivité ?

Je fais part de mes réserves à madame Zabée. Elle refuse de comprendre ce que je lui dis. Au contraire,

117

elle est soulagée que ce soit lui qui se charge de l'enquête. Ainsi, tout restera en famille, c'est ce qu'elle pense. L'inspecteur est son protecteur. Il fera tout son possible pour que cette tragique histoire ne conduise pas la pension à la ruine. Lié à Marylin comme il l'était, il sera tout particulièrement motivé pour trouver l'assassin. Elle me regarde avec suspicion. Soudain je lui apparais sous un autre jour, presque comme un ennemi : « Je ne comprends pas ta réaction. De quoi as-tu peur ? Comme moi, tu devrais remercier l'inspecteur pour son sens des responsabilités et son courage exemplaire. Je ne peux pas vivre tant que l'assassin sera en liberté. C'est quelqu'un qui fréquente la pension, un de nos familiers. Comment les pensionnaires vont-elles pouvoir continuer à travailler s'il reste en liberté ? Les clients ne reviendront pas tant que l'assassin ne sera pas arrêté. L'inspecteur est notre sauveur. »

Elle rouvre la porte de son appartement pour me signifier que notre entretien est terminé. Elle me donne l'ordre de travailler ce soir comme à l'ordinaire et d'aider l'inspecteur dans son enquête. Elle me parle sur un ton presque menaçant. « N'oublie pas que tu es un clandestin avec de faux papiers. Tu es le suspect numéro un. Tout le monde sait que tu avais une liaison avec Marylin. Je t'avais prévenu que tu courais un ris-que en cédant à ton désir pour une des pensionnaires. Et il a fallu que ce soit justement Marylin, comme si tu cherchais à défier l'inspecteur. Je lui dirai tout le bien que je pense de toi. Mais ça ne l'empêchera pas de mener son enquête. »

Les paroles de madame Zabée résonnent en moi : je suis le suspect numéro un, voilà ce qu'elle me dit avant même que l'inspecteur ne me le dise. Et moi qui avais cru que j'étais son protégé !

J'ai envie de m'enfuir et de redevenir un vrai clandestin, sans papier et sans domicile. Mais alors je me désignerais comme le coupable et je serais recherché par la police française. Amid ne pourrait plus m'aider. Et que penserait Nelly de moi, juste après notre première rencontre ? Je ne peux pas m'enfuir, ce serait pire que de rester. Il va falloir que j'affronte l'inspecteur avec sang-froid, en me répétant que je ne suis pas coupable. Il faut que je trouve qui est le coupable. Il se cache nécessairement parmi les clients de la pension de famille de madame Zabée et plus particulièrement parmi les clients de Marylin. Je ne suis plus comme à Tamza coupable d'avoir participé à un projet de coup d'État contre le régime. J'ai été emprisonné pour cela. Madame Zabée ne me protégera pas parce qu'elle a besoin d'un coupable et que je suis celui qu'elle a sous la main. Ce n'est pas une femme qui obéit à une morale. Pour elle, la fin vaut les moyens.

L'enquête

Les pensionnaires se sont enfermées dans leur chambre. J'attends l'arrivée de l'inspecteur. Aucun client ne se présente à la pension, les pensionnaires leur ont téléphoné pour annuler leurs rendez-vous. Après ce qui vient de se passer, la pension de madame Zabée est maudite.

En quelques heures, ma vie a de nouveau basculé. Je croyais avoir repris espoir grâce à ma rencontre avec Nelly. Et voilà que de nouveau mon avenir s'assombrit. L'idée que Marylin ait été tuée dans des conditions aussi atroces me bouleverse, faisant resurgir d'autres images horribles, des prisons de Tamza et de Fort Gabo. Marylin était possédée par une vision de la catastrophe, celle qui avait détruit son village et qui la détruirait à son tour, où qu'elle puisse aller. Sa frénésie de vivre en brouillant les cartes était sa façon de se protéger. Quand on faisait l'amour, il y avait une part d'elle qui était absente. Elle était avant tout soucieuse de moi : est-ce que c'était assez bien, est-ce qu'elle avait fait tout ce qu'il fallait, est-ce que c'était mieux qu'avec les autres ? Elle cherchait toujours à se rassurer. Elle est morte avant que j'aie eu le temps de la connaître. Je ne pourrai pas l'oublier, jamais je ne revivrai ce que j'ai vécu avec elle.

L'inspecteur met du temps à arriver. Il porte un costume noir en signe de deuil et son air est sombre et fermé. Il est venu accompagné d'un jeune assistant chargé d'enregistrer les dépositions. Il commence par interroger madame Zabée. Puis il interroge chaque pensionnaire dans sa chambre. En attendant que ce soit mon tour, je me ronge les ongles jusqu'au sang. Heureusement, les interrogatoires des pensionnaires ne durent pas longtemps. L'inspecteur les connaît toutes et il se sent sûrement gêné avec elles. Il n'a pas envie d'approfondir ses questions, pressé d'en finir. Dans le quartier des Perles, les lois sont détournées par les inspecteurs qui ont chacun des intérêts personnels à défendre. La hiérarchie ferme les yeux : l'assassinat d'un travesti dans une pension de famille, ça fait partie de la routine, ce n'est pas un événement qui compte. Au quartier des Perles, les habitants vivent sans mémoire. Ça leur permet de ne pas être inquiétés et de vaquer à leurs affaires.

L'assistant s'installe devant l'ordinateur de madame Zabée pour retranscrire et imprimer les dépositions des pensionnaires. Elles sont pressées de les relire et de les signer pour pouvoir quitter dès ce soir la pension. Elles ne veulent pas y dormir, ainsi l'ont-elles décidé d'un commun accord. On dirait qu'elles cherchent à prendre la fuite, comme si elles connaissaient l'assassin et qu'elles avaient peur qu'il les poursuive. Où vont-elles aller ?

L'inspecteur me conduit à l'écart, dans un coin du salon. Il s'asseoit à côté de moi pour ne pas avoir à me regarder en face. Ma nervosité se calme brusquement. J'ai l'habitude des interrogatoires et mon expérience d'ancien détenu m'est soudain très utile, surtout que cette fois je me répète que je ne suis pas coupable. Il n'est pas question que je me laisse impressionner par l'inspecteur. Je le sens décomposé au fond de lui, même s'il a décidé de jouer le grand jeu avec moi, sûrement en accord avec madame Zabée. Ils espèrent que je vais m'effondrer parce que je suis un clandestin et que j'ai eu une relation intime avec Marylin.

L'inspecteur me demande sans préambule ce que je faisais en fin de matinée, à l'heure du crime. Il sait bien que je n'étais pas à la pension, madame Zabée et les pensionnaires ont dû s'empresser de le lui dire comme elles ont dû lui raconter, chacune à leur façon, ma liaison avec Marylin. Je les vois telles qu'elles sont. Si elles ont pu me charger, elles l'ont fait en inventant des histoires parce qu'elles vivent dans la fiction autant que dans la réalité et que ça les rassure de se dire qu'il y a un suspect. D'une certaine façon, je suis soulagé de cette façon directe d'aborder l'interrogatoire.

Il m'est facile de lui répondre que ce matin, exceptionnellement, je n'ai dormi que quelques heures. J'ai quitté la pension avant onze heures parce que j'avais rendez-vous à treize heures porte de Choisy chez Nelly pour lui parler de mon projet de faire du cinéma. Je donne à l'inspecteur l'adresse et le téléphone de Nelly pour qu'il puisse vérifier ce que je lui dis. Je précise que je suis parti en avance de la pension pour me préparer à cet entretien très important pour moi, qui doit décider de mon avenir. Je me retourne vers lui et en le regardant dans les yeux (il n'avait pas prévu de ma part une telle audace), je lui dis : « Je ne suis pas venu en France pour faire le gardien de nuit, mais pour faire du cinéma. Je ne suis pour rien dans ce qui est arrivé à Marylin et vous le savez aussi bien que moi. »

L'inspecteur est sur les nerfs, même s'il semble garder son calme. Il hausse le ton. « Bien sûr, vous avez tout prévu, jusqu'à votre alibi. Mais ne croyez pas vous en tirer à si bon compte. Vous avez très bien pu assassiner Marylin avant de quitter la pension, puis aller à votre rendez-vous. » Il croit m'impressionner en criant. Mais il se trompe, je reste maître de moi. Cet interrogatoire représente une sorte de défi. Enfin, je suis face à l'inspecteur et je n'ai pas peur de lui. À Tamza et à Fort Gabo, pendant les interrogatoires, je tremblais de peur et tout se brouillait dans ma tête. Je redevenais le petit garçon perdu, incapable de se défendre. Cette fois, je devine qui est l'inspecteur et il le sent. Je lui dis : « Mais pourquoi l'aurais-je tuée, je n'avais aucune raison, aucun mobile. Vous n'avez aucune preuve contre moi ».

Il reprend peu à peu de l'assurance. Il me regarde dans les yeux, sa main accrochant mon bras : « Aucune preuve ? Vous êtes un désaxé profond. À la prison de Fort Gabo, vous étiez soigné pour maladie mentale après avoir tenté de tuer un gardien à la prison de Tamza. Ce n'est peut-être pas une preuve, mais c'est une présomption de culpabilité, vous ne trouvez pas ? Qui d'autre qu'un malade mental aurait pu tuer Marylin de cette façon ignoble, qui mérite la plus grave des peines ? »

Il avait donc préparé son accusation en prenant tous les renseignements sur moi. Le commissariat du quartier des Perles entretient d'excellentes relations avec les services secrets de Tamza. Ils se rendent des services mutuels. Je n'avais pas prévu ce coup, naïf que je suis. Je tremble de tout mon corps à l'idée que je vais peut-être me retrouver en prison. Je ne serais sorti de la prison de Fort Gabo que pour me retrouver dans une prison française, coupable du plus horrible des crimes, alors que je suis innocent de ce dont on m'accuse ! Je ne peux pas l'accepter. Il faut que je l'emporte sur l'inspecteur, qui n'est pas seulement une ordure et un monstre, mais aussi un minable, une loque, je le sens, sans aucune force de caractère. Je suis de nouveau pris par le désir irrépressible de me jeter sur lui pour l'étrangler, comme j'avais essayé de le faire avec le gardien de la prison de Tamza. Mais quand je veux agir, mon corps se paralyse. C'était le bon réflexe. Si j'avais attaqué l'inspecteur, j'étais perdu.

Il doit penser qu'il a déjà gagné la partie et qu'il me tient. Il me répète : « Pour l'instant, vous êtes le suspect numéro un. Je vous donne l'ordre de ne pas quitter la pension ». Je le regarde de nouveau dans les yeux et comme sous le coup d'une inspiration subite, je lui dis : « Je sais que vous êtes l'assassin de Marylin. Tout le monde ici à la pension le sait, même madame Zabée. Quand vous êtes venu lui demander sa main ce matin, Marylin a éclaté de rire. Comment aviez-vous pu imaginer qu'elle accepterait une telle proposition ? Vous n'avez pu supporter cette injure et vous vous êtes déchaîné sur elle. Le malade mental, le désaxé profond, c'est vous ! Je ne serai pas accusé à votre place. La vérité sera faite. Je crois à la justice française et aux lois de la République, même si je ne suis qu'un clandestin. »

Qu'est-ce qui m'a pris de prononcer une telle tirade ? Je sais bien pourtant que la justice française n'a que faire d'un clandestin comme moi. Je me suis laissé entraîner à provoquer l'inspecteur. Ça a été plus fort que moi. Il me regarde avec des yeux fous. Il me répond d'une voix menaçante : « Vous me le paierez ! Je vais interroger tous les clients de la pension et tous les habitants du passage du Soir. Il y en a sûrement quelques-uns dont les témoignages seront pour vous accablants. Je ne vous lâcherai pas. Pour qui vous prenez-vous ? Vous avez crié victoire trop vite. Que savez vous de la justice française et des lois de la République ? Elles ne sont pas là pour protéger des gens de votre espèce ». De nouveau, il me donne l'ordre de ne pas quitter la pension. L'enquête ne fait que commencer.

L'inspecteur se retire dans l'appartement de madame Zabée en attendant que son assistant ait achevé son travail et que les pensionnaires aient signé leurs dépositions. Comme il n'a pas enregistré notre entretien, il n'y a aucune trace de ce que nous avons dit. Il ne peut donc pas m'arrêter, tout du moins pour l'instant. Quand tout est fini, madame Zabée reconduit l'inspecteur et son assistant jusqu'à la porte. Puis elle remonte dans son appartement et elle redescend emmitouflée dans son manteau de vison. Elle sort sans rien me dire. Elle doit avoir des affaires à régler en urgence. J'ai toute la nuit devant moi.

Les pensionnaires ne tardent pas à descendre, les unes derrière les autres. Elles sont habillées d'un jean et d'un blouson et portent un grand sac en bandoulière. Elles sont redevenues des hommes, le temps de disparaître dans la nuit de Paris, en quête d'un nouveau refuge. Elles ne me saluent même pas, comme si elles ne me connaissaient pas. Elles tournent la page. La pension de madame Zabée et son gardien n'existent plus pour elles. Chacune doit se dire qu'elle l'a échappé belle. Il aurait suffi que l'une d'entre elle soit l'élue de l'inspecteur pour qu'elle ait été tuée à la place de Mary-lin. Elles savent que c'est lui l'assassin et elles ne l'oublieront pas, ça se lit dans leurs yeux.

Avant de franchir la porte, Lauren se retourne et me fait un signe, comme si elle voulait me dire quelque chose. Puis elle disparaît elle aussi. Il y a soudain un grand calme et un grand vide dans la pension. Je m'entends respirer. Ce qui vient de se passer m'a épuisé. Je ferme les yeux et je ne peux résister au sommeil. Toutes les heures, les cloches de l'église Sainte-Ursule me réveillent. Dès qu'elles cessent de sonner, je replonge de nouveau dans le sommeil, sans me souvenir d'aucun rêve.

Sept heures sonnent quand madame Zabée rentre à la pension. Je l'informe que les pensionnaires sont par-ties. Elle s'apprête à monter chez elle sans me répondre. Alors, avec détermination, je l'interpelle. « Quand vous m'avez dit que j'étais le suspect numéro un, vous avez oublié l'inspecteur. Pour que l'enquête aboutisse, il fau-drait qu'il soit lui-même interrogé, comme le plus fidèle habitué de votre pension et le meilleur client de Mary-lin. Il faudrait qu'il raconte la façon dont vous avez acheté son silence. Si je suis arrêté, je parlerai. J'ai beau être un clandestin et avoir été incarcéré à la prison de Fort Gabo, j'ai des amis qui se feront un devoir de parler de cette affaire. Il y a en France des comités de soutien qui défendent les clandestins accusés de crimes qu'ils n'ont pas commis à la place des vrais coupables

qui sont ainsi protégés. J'ai un passé de prisonnier politique, pas de droit commun. Je ne suis pas un malade
mental comme le prétend l'inspecteur. Pourquoi ne
serait-ce pas lui l'assassin de Marylin ? Quelle perver-
sion, quelle folie, quelle terreur y a-t-il, cachées au fond
de lui pour qu'il ait pris le risque de couvrir tout ce qui
se passait dans votre pension en échange de vos bons
services ? Vous êtes la complice de l'inspecteur. Vous
avez pris le risque qu'il tue Marylin, plutôt que de lui
interdire la porte de votre pension. »

Je la menace à mon tour, étonné moi-même de lui
parler avec un tel sang-froid comme si tout à coup
j'étais libéré de mes peurs. Elle serre les dents et me
dit d'une voix sifflante : « Petite ordure, après tout ce
que j'ai fait pour toi ! » Et elle m'ordonne de quitter
immédiatement la pension. Je refuse de partir tant que
l'inspecteur ne m'y a pas autorisé. Je ne veux commettre aucune faute. Elle me répond : « L'inspecteur, j'en
fais mon affaire. Trouve-toi un logement et je lui don-
nerai ton adresse. Je ne veux plus te voir chez moi. »

Je suis très calme depuis que je l'ai affrontée. Je
repense au signe que m'a fait Lauren en quittant la
pension. Elle était la confidente de Marylin. Elle sait
sûrement beaucoup de choses que j'ignore. Pourquoi
Marylin a-t-elle continué de voir l'inspecteur ? Elle
avait bien dû s'apercevoir que c'était un détraqué.
Quelle dette avait-elle envers madame Zabée ? Cher-
chait-elle le châtiment ? Elle était habitée par des

visions d'apocalypse dont elle se moquait crânement, en me disant : « Quelles conneries, tu ne trouves pas, où est-ce que je vais chercher tout ça ? » Quand l'inspecteur l'a demandée en mariage, elle n'a pu résister au plaisir de le provoquer. C'était sa vengeance. Elle s'est jetée dans la gueule du loup.

Je remonte dans ma chambre en me disant que la pension de madame Zabée, c'est fini pour moi. Je vais la quitter, comme j'ai quitté l'ancienne gare de Loisy. Un clandestin n'est de nulle part. Je range mes affaires et prépare mon sac à dos. Nelly m'a mis face à moi-même en me disant que je devais écrire mon scénario. C'est bien ma seule chance et ma seule issue. Mais comment vais-je réussir à l'écrire ? J'ai l'impression d'être dans un tunnel absolument noir. Je marche à tâtons sans savoir où je vais. Est-ce que je vais quelque part ? Je sens venir la crise. Tous les symptômes avant-coureurs se manifestent sans que je puisse arriver à les maîtriser. Il me faut téléphoner à Nelly. J'ai besoin d'entendre sa voix pour ne pas perdre la raison.

Elle comprend tout de suite qu'il se passe quelque chose de grave. Je lui raconte tout comme si elle était une amie. Je n'ai jamais considéré une femme comme une amie, obsédé que j'étais par le désir que j'avais d'elles, un désir insatiable dont je ne pouvais me délivrer que par la fuite. J'ai quitté Ama pour entrer dans la clandestinité parce que je ne pouvais plus vivre sous l'emprise d'un tel désir. Nelly m'écoute sans m'interrompre. Elle n'a pas besoin de parler, je sais qu'elle est là au bout du fil, attentive à ce que je lui raconte. Elle me dit de tenir bon. Elle me répète que si j'ai des ennuis, elle est là : « Vous n'êtes pas seul, sachez-le ». Et puis elle raccroche parce que quelqu'un sonne à sa porte et qu'il faut qu'elle aille ouvrir. Elle ne m'a pas proposé de venir habiter chez elle. De toute façon, je n'aurais pas accepté. Je ne veux pas la mêler à cette histoire. C'est déjà un réconfort de savoir que je peux l'appeler et qu'elle me répond. J'ai l'impression de nouveau d'être retourné dans mon tunnel. Mais tout au fond, grâce à Nelly, j'aperçois une petite lueur, vers laquelle je peux marcher.

Je téléphone ensuite à Amid pour l'informer de ce qui vient de se passer. Il ne faut surtout pas que je fasse le mort. Au contraire, je dois affronter la situation la tête haute, sans avoir peur d'être accusé. Après tout, c'est Amid qui m'a conduit chez madame Zabée. Il est donc aussi concerné par ce qui m'arrive. Je n'ai pas à me laisser impressionner par l'amitié qui le lie à madame Zabée. Comme je pouvais m'en douter, elle a pris les devants et lui a déjà téléphoné. Je n'ai donc pas à le mettre au courant de ce qui arrive. Je lui donne seulement ma version des faits.

Amid est embarrassé. « Tu t'es mis dans une sale histoire. J'aurais dû te prévenir qu'il ne fallait surtout pas avoir une relation intime avec une pensionnaire. Ça finit toujours mal, surtout quand on est clandestin.

Contrairement à ce que tu crois, madame Zabée veille sur toi. Si tu n'es pas inquiété, ce sera grâce à elle. Elle m'a promis de faire tout ce qui est en son pouvoir pour que l'inspecteur renonce à t'arrêter. Mais maintenant que tu l'as accusé d'être l'assassin de Marylin, tout devient plus difficile, l'inspecteur ne veut plus te lâcher. Ne sois pas injuste envers madame Zabée. Tu sais que je lui dois beaucoup. Arrête tes bêtises. Tu en as déjà fait assez comme ça à Tamza. Où ça t'a mené ? Ama en est morte et Lili ne vit plus à cause de toi. Je vais m'occuper de toi, une fois encore, pour faire plaisir à Lili. Que deviendrais-tu sans elle ? »

Je n'ai rien à lui répondre. Je ne regrette pas d'avoir accusé l'inspecteur, même si ça me met en danger. Il fallait que je le fasse. Je demande à Amid des nouvelles de l'ancienne gare. Il m'apprend que ça se gâte pour Aigle d'Or. Le commissaire l'a lâché et le maire vient de lui donner l'ordre de partir. Aigle d'Or tient bon. Siegfried son fidèle gardien a essayé de monter un comité de soutien. Il est allé voir tous les anciens amis de Loisy. Mais personne n'a envie de soutenir Aigle d'Or. Pour ses anciens amis, il n'existe déjà plus.

Amid ne m'invite pas à venir dormir au pavillon. Il ne veut pas d'histoires avec l'inspecteur. Avant de rac-crocher, il me dit d'avoir confiance, tout va s'arranger pour moi.

En fin d'après-midi, Ali vient me rendre visite à la pension. Amid lui a téléphoné pour lui demander de s'occuper de moi. Tout le quartier des Perles est au courant de l'assassinat de Marylin. Il me dit : « Comme tu le sais, j'ai des contacts avec le réseau de Tamza. Si tu as besoin d'aide, tu trouveras de l'aide. Je voulais aussi que tu saches qu'hier matin, vers dix heures et demi, j'ai vu passer l'inspecteur. J'ai pensé : il est tellement mordu qu'il vient maintenant dès le matin à la pension, quand tout le monde dort. Je ne l'ai pas vu repasser, sans doute parce qu'à ce moment-là j'étais occupé avec un client. »

Je demande à Ali si l'inspecteur est venu l'interroger. Il me répond : « Tu penses bien que non ! Il a trop peur de moi avec tout ce que je sais sur lui. Ce qu'il a fait pendant la guerre d'Algérie, jamais je ne lui pardonnerai. Je ne comprends pas que madame Zabée en ait fait son protecteur. Elle a peut-être quelque chose de grave à se reprocher et l'inspecteur la couvre ». Je lui demande s'il accepterait de déposer devant le juge, en cas de besoin. Il répond : « Pourquoi pas ? Ça dépendra des circonstances et de ce que les amis me demanderont de faire. Mais on ne te laissera pas accuser de l'assassinat de Marylin à la place de l'inspecteur. Tout le monde dans le réseau connaît son passé, une ordure qui mérite la mort pour tout le mal qu'il a fait. Que la colère de Dieu s'abatte sur lui ! Tu ne seras pas sa prochaine victime. Amid a demandé à madame Zabée d'intervenir auprès de lui pour que tu ne sois pas inquiété. Je ne sais pas si elle y réussira. Maintenant que Marylin est morte, elle a peut-être perdu son pouvoir sur lui. Elle a toujours eu notre sympathie. Mais elle a eu tort de s'allier à l'inspecteur. Elle a maintenant la mort de Marylin sur la conscience. Ça ne va pas être facile pour elle de continuer à vivre et à travailler dans le quartier ».

Je remercie Ali. Je n'en attendais pas autant de sa part. J'avais sous-estimé la solidarité qui règne entre les membres du réseau de Tamza. Ali me propose de venir dormir chez lui : « Dans ta situation, tu as besoin d'un protecteur. L'inspecteur n'osera pas venir t'arrêter chez moi. Ça me fait plaisir de t'héberger. En ce moment, il n'y a personne à la maison. Profites-en ». Je ne peux pas refuser son hospitalité. À part lui, qui peut m'héberger à Paris dans ma situation ?

Je vais dire au revoir à madame Zabée, par politesse. Je lui donne ma nouvelle adresse. Elle ne fait aucun commentaire. Pour la première fois, je la vois sans maquillage, le visage défait. Elle n'accorde plus d'importance à son apparence. Elle en profite pour me donner ce qu'elle me doit. Elle ferme sa pension pour un temps indéterminé. Elle voudrait repartir en voyage pour oublier les pensionnaires et se faire oublier, pour se refaire une santé aussi, car la pension, me dit-elle d'un air soudain très las, l'a épuisée. À son âge, maintenant, il faut qu'elle prenne soin d'elle.

Elle me dit, en baissant la voix et avec des larmes dans les yeux : « Je sais ce que tu penses de moi. Tu ne peux pas comprendre. J'aimais Marylin et toutes mes pensionnaires. Je croyais les protéger en étant amie avec l'inspecteur. Je me suis crue plus forte que je n'étais. N'oublie pas Marylin, si tu fais ton film. Elle aurait tant voulu y jouer un rôle, le rôle qui l'aurait enfin révélée à elle-même. C'était un être d'exception poursuivi par un destin tragique. » Elle s'arrête de parler tellement elle est bouleversée. Madame Zabée était-elle amoureuse de Marylin ?

Chez Ali

Ali habite au-dessus de son épicerie un deux-pièces tout en désordre. Il a l'habitude d'héberger des amis de passage car il y a plusieurs matelas entassés dans un coin du salon. Il me dit avec empressement : « Installe-toi comme si tu étais chez toi. Tu ne me gêneras pas. Je suis toute la journée absent, sauf à l'heure de la sieste. Et le soir, je rentre tard, bien après minuit. J'essaierai de ne pas faire de bruit en rentrant pour ne pas te réveiller si tu dors. Ne me remercie pas, j'aime héberger les amis. Tu es recommandé par Amid. Ça me suffit pour avoir envie de te rendre service. À Paris, il y a de la place pour tout le monde et tout le monde a sa chance, à condition de savoir choisir ses amis. Amid t'a d'abord confié à madame Zabée parce qu'il est très liée à elle. Maintenant, il me demande de m'occuper de toi. Nous, les anciens de Tamza, on forme une grande famille. En cas de coup dur, on s'entraide. Quand il y a une affaire intéressante, on en fait profiter les amis. C'est ce qui nous a permis de faire notre trou à Paris et de pouvoir continuer d'y vivre. Tu dois penser : s'il avait tant réussi, il n'habiterait pas ce deux-pièces minable et il ne travaillerait pas toute la journée à son épicerie. Mais je suis un joueur impénitent. Tout ce que je gagne, je vais le jouer et je perds en une seule fois toutes les énonomies que je fais pour moi. C'est mon vice. Je n'en souffre pas. Je ne sais pas ce que je ferais de mon argent si je ne le perdais pas au jeu. Ailleurs que dans mon deux-pièces, je me sens perdu. Et sans mon épicerie, je ne suis plus personne. Alors, tu vois, j'ai la vie qui me convient. Chaque mois, j'envoie de l'argent dans mon village, pour toute la famille. Ils comptent tous sur moi, je suis leur seul revenu. C'est ma fierté. Chaque couple a pu se faire construire une grande maison avec le confort grâce à l'argent que j'envoie. Je ne fais pas que perdre au jeu, je suis aussi un bâtisseur. Ma famille ne cesse de s'agrandir. Presque toutes les nouvelles maisons du village, c'est moi qui les ai fait construire. J'ai la béné-diction de Dieu. Pourquoi restes-tu sourd à sa parole ? Il est grand temps que tu reconnaisses sa grandeur et sa miséricorde. En France, tous les amis qui ont réussi sont ses protégés. Notre réseau tout entier obéit à sa parole. »

Je m'attendais à ce qu'Ali me parle de Dieu. Il s'est mis dans la tête de me mettre dans la voie divine et de me persuader d'entrer dans le réseau. Je fais semblant d'approuver, afin qu'il me laisse tranquille.

Je n'ai pas à me plaindre d'avoir accepté son invita-tion. Il n'est jamais là, sauf à l'heure de la sieste où il s'enferme dans sa chambre. Je me suis fait des économies à la pension de famille de madame Zabée. Ali ne veut surtout pas que je les dépense. Il prend tout de son épicerie. Son frigo est plein, on n'arrive même pas à manger ce qu'il rapporte.

Je décide de profiter de ce temps vide pour me mettre à l'écriture de mon scénario. Je débarrasse un coin de la table et je l'appelle : « mon bureau ». Dans ma cellule de prison, je n'arrêtais pas d'écrire sur mon cahier. Mais ici, dans l'appartement d'Ali, installé à mon bureau, je me sens bloqué. Je ne peux pas m'empêcher de penser à l'inspecteur. Il ne s'est pas manifesté depuis que je vis chez Ali, mais ça ne veut rien dire. Il doit continuer son enquête dans le plus grand secret. C'est un homme de l'ombre. En cherchant l'affrontement avec lui, je n'ai pas réfléchi aux conséquences.

Je commence à imaginer Samir, mon double. Il s'est passionnément épris de Marylin, comme s'il cherchait à la sauver. Pour elle, il a commencé à écrire un scénario dont l'héroïne s'appelle Marylin. Le jour de son assassinat, il n'a pas encore été voir Nelly tellement il est absorbé par sa passion. Comme tous les autres jours, il attend avec impatience le moment d'aller frapper à sa porte pour la réveiller et la prendre dans ses bras. Quand il la découvre morte, il ne peut se détacher de cette vision. Il se demande s'il n'est pas en train de devenir fou, comme à Fort Gabo pendant les séances de torture. Il tombe dans un état de prostration et d'hébétude. Il ne réagit même pas quand l'inspecteur l'accuse d'avoir assassiné Marylin. Il a une barre dans la tête et un nuage noir devant les yeux. Comme Marylin à qui il s'identifie, il se sent poursuivi par un destin tragique.

Mon histoire avec Ama et Lili me revient, liée à l'histoire de Tamza. Je me revois petit garçon dans leur atelier, en train de contempler les femmes de notables pendant les essayages. Je respirais leurs parfums et frôlais leur peau si douce. Elles m'apportaient toujours des friandises et me cajolaient comme si j'étais un chaton. Elles me trouvaient adorable et intelligent et je faisais tout pour leur plaire. Lili et Ama étaient fières de moi. En grandissant, je cessai peu à peu d'aller à l'atelier. J'éprouvais un sentiment d'humiliation et de colère envers ces femmes qui traitaient ainsi Lili et Ama. Quand je me suis engagé dans le Mouvement des années plus tard, je pensais à elles qui s'étaient révoltées contre leur soumission. On appelait leur atelier l'atelier des Rouges. Au collège des Frères, j'étais mis à l'écart. Seul Frère Tian et Sina me témoignaient leur amitié. Si je ne l'avais pas quitté de mon plein gré pour m'engager dans le Mouvement, je suis sûr que j'aurais été renvoyé, sous n'importe quel prétexte. J'étais devenu la brebis galeuse, le fils de pauvre qu'on avait accepté par charité et qui osait se rebeller contre ses bienfaiteurs. Je recherchais l'affrontement avec le directeur du collège, comme maintenant avec l'inspecteur. En repensant à Tamza, je revis la honte et la haine qui ont empoisonné ma vie.

Ali est stupéfait de me voir ainsi vivre dans ce face-à-face avec mon cahier. Quand il me voit jeter mes premières pages parce que je les juge mauvaises, il pense que je suis devenu fou. Je lui parle de Samir, mon double, qu'il me faut inventer pour écrire mon scénario. Je lui dis que lui aussi, même s'il n'est pas un clandestin, est concerné par ce que j'écris. Il se met en colère : « Toutes ces années passées à Fort Gabo t'ont fait perdre la tête. Il est temps que je m'occupe de toi et que tu sortes de cet appartement. Je ne comprends rien à ce que tu me racontes. Jamais tu ne réussiras à écrire un bon scénario si tu restes ainsi à ressasser l'histoire de ton double. Je ne comprends rien à ce que tu écris. Ça n'a rien à voir avec Tamza, ni avec notre histoire. C'est un pur produit de ton imagination malade ». Entre Ali et moi, il y a un mur d'incompréhension.

Je retourne à Loisy passer un dimanche avec Amid, comme il m'y a plusieurs fois invité depuis que j'habite chez Ali. Il est tout content d'apprendre que je me suis enfin décidé à écrire mon scénario. Il me donne des nouvelles de Lili. Elle demande quand elle pourra voir mon film. Elle aimerait le voir avant de devenir aveugle. Le médecin lui a dit qu'elle a une maladie incurable des yeux et qu'elle finira sa vie dans la nuit.

Amid se fait du souci pour madame Zabée. Elle est minée par ce qui s'est passé à la pension. Tant que l'enquête sur l'assassinat de Marylin n'a pas abouti, elle ne veut pas partir en voyage. Il est rassuré que j'habite chez Ali. Avec les amis qu'il a dans le réseau, je ne risque rien. « C'est bien que tu sois désormais intégré. Je t'ai soutenu autant que j'ai pu. On croit tous en toi. » Les propos d'Amid me laissent rêveur.

Il me donne aussi des nouvelles d'Aigle d'Or. Le maire espère qu'il va quitter l'ancienne gare sans qu'il ait besoin de recourir à la force. Il est prêt à lui accorder une pension pour aller dans une maison de retraite. Il propose même un travail à Siegfried et une place pour Sanson dans le nouveau centre d'équitation de Loisy. Amid pense que ce serait la meilleure solution. Je n'arrive pas à croire qu'Aigle d'Or acceptera de quitter l'ancienne gare pour aller finir sa vie dans une maison de retraite payée par le maire.

Le repas d'Amid est aussi bon que d'habitude, mais cette fois je n'ai pas faim. Je pense à Aigle d'Or. Si je vais le voir, il me crachera à la figure d'avoir refusé de me battre à ses côtés. J'ai pourtant envie d'aller le remercier de m'avoir fait rencontrer Nelly. Qu'il ait été autrefois son mari me le rend plus proche et plus humain. Il ne l'a pas oubliée, sinon il ne m'aurait pas donné son adresse. J'imagine sa détresse et sa solitude et ça me fait de la peine.

Amid m'annonce qu'il va peut-être vendre son garage et son pavillon. Il a besoin de soleil et de chaleur. Il est en train de dépérir. S'il ne part pas, ses os vont pourrir. Il a fait son temps à Loisy. La fin d'Aigle d'Or marque la fin d'une époque. Le réseau de Tamza se réorganise et change de méthode. Les Africains de Loisy se reconvertissent. Il est temps qu'il change de vie.

Ni lui ni moi n'avons envie de continuer à parler. On est chacun dans nos pensées. Alors on regarde un film à la télévision, *L'Homme du désert* et on pleure tous les deux à la fin du film. Ce film remue beaucoup de souvenirs. Quand on a vécu à Tamza, on n'oublie pas le désert, on le porte en soi toute sa vie. Même quand on vit à Paris, on est habité par lui quand on croit l'avoir perdu. Le désert, c'était la richesse des pauvres. Je dis c'était, car lui aussi, comme le reste, est en train de devenir une marchandise aux mains des tours opérators qui payent les nomades pour qu'ils jouent aux nomades. Je me revois au début de mon engagement dans le Mouvement. Nos réunions secrètes avaient lieu dans un camp nomade. C'était notre base, la base de Tarzis. J'adorais cette oasis, avec son bouquet de palmiers, ses lauriers roses et blancs au bord de l'oued, sa source à l'eau si douce. Il y avait là des tentes où vivaient des nomades à moitié sédentarisés, avec leurs dromadaires, des moutons et quelques chèvres. Ils nous servaient de contact et nous rendaient toutes sortes de services. On s'entraînait aux armes dans les dunes, comme si la révolution devait avoir lieu dans le désert. Plusieurs fois, j'emmenai Ama avec moi. On dormait à la belle étoile, enveloppés bien au chaud dans notre couverture en poil de chameau. On regardait le ciel et toutes ses constellations. On se sentait seuls face à l'immensité du ciel qui brillait de partout. Il faisait froid la nuit, on sentait le froid nous piquer le visage. J'aimais le froid des nuits dans le désert. Je récitais *Le Petit Prince* à Ama, je le connaissais par cœur. Au collège des Frères, on l'avait lu en classe et je l'avais relu tout seul à la maison plusieurs fois. Ama avait les larmes aux yeux à la fin de l'histoire. Elle avait peur soudain qu'un serpent tout jaune surgisse de la dune et vienne nous piquer en plein sommeil. À Tarzis, je n'avais jamais vu de serpent, mais les nomades nous demandaient de faire attention, car il y en avait quelques-uns endormis sous le sable. Dans un petit frigo sur batteries, le chef gardait du sérum. Il avait une grande admiration pour les inventions de la médecine moderne et en échange de ses services, il nous demandait des médicaments, des sérums et des vaccins. C'était incroyable ce qu'il se consommait de médicaments en plein désert. À cause de ces séjours à la base de Tarzis, j'aimais ma vie de révolutionnaire clandestin. J'associai la révolution et le désert, les nuits passées avec Ama dans les dunes, les palmiers se découpant sur le ciel illuminé d'étoiles et la lune qui rendait luisant le sable, mon corps nu contre son corps nu sous la couverture de laine qui nous grattait la peau. Et les odeurs du désert, sèches et parfumées. La petite oasis de Tarzis, le long du ruisseau qui partait de la source, était couverte de fleurs et de plantes parfumées. Si je ne m'étais pas engagé dans le Mouvement et si je n'étais pas devenu clandestin, jamais je n'aurais vécu ces moments de grâce à l'oasis de Tarzis. Quand il y avait la tempête de sable, on faisait nos réunions sous la tente. Ça pouvait durer des jours. Les réunions n'en finissaient pas. Les camarades adoraient faire des discours, chacun leur tour. Les nomades participaient à la veillée. Ils jouaient de la musique et récitaient des poèmes dans leur langue, aussi longs que nos discours. Ils étaient tous poètes et musiciens. Ils vivaient pauvrement, mais dignement. Pour eux, aller vivre à Tamza, c'était la déchéance et la mort. Ils étaient de notre côté parce que, dans notre programme, le désert au sud de Tamza serait un territoire libre gouverné par les nomades

Amid m'interrompt et me dit, comme s'il sortait lui aussi d'une longue rêverie : « Tu as de la chance d'avoir une vocation. Moi, je n'ai rien qui compte vraiment, pas même Lili. »

Je quitte le garage de l'Avenir dans un état de malaise. Il faut que je voie Aigle d'Or avant qu'il n'ait quitté l'ancienne gare. Je traverse les terrains vagues en marchant le plus vite que je peux et je m'engage sur le chemin embourbé qui conduit à l'ancienne gare. La pluie s'est remise à tomber et le vent me pique le visage. Je pousse la barrière et me dirige vers le bâtiment de l'ancienne gare. Il semble n'y avoir personne. Sanson n'est pas dans son enclos et Siegfried est invisible.

Je frappe à la porte du bureau de l'ancien chef de gare et j'entends la voix d'Aigle d'Or qui me dit d'entrer. Il est assis devant son ordinateur, en train de rédiger son courrier. Il n'a pas l'air surpris de me voir. Un beau sourire illumine son visage. Il me dit, avec une voix douce : « Je suis content que tu sois venu. Je vois que tu ne m'en veux pas. Il faut que tu oublies ce que je t'ai dit après le départ de Mateo. C'était une idée folle qui m'avait traversé la tête, comme ça m'arrive souvent. Tu as bien fait de refuser, tu as bien réagi. Ça ne nous aurait menés à rien. Tous mes amis m'ont abandonné. Je ne suis plus personne. Lola en a profité pour partir en tournée avec ses musiciens. Je n'ai pas cherché à la retenir, il fallait qu'elle parte. Elle a emmené Sanson avec elle. L'un de ses musiciens a acheté une vieille ferme près de Rodez. C'est là que Sanson va vivre. Quant à moi, je tiens bon, comme tu le vois. J'attends tranquillement que le maire de Loisy vienne me chercher de force. J'ai mon plan, ne t'en fais pas. J'ai reçu une lettre de Mateo. L'ancien ami de son père avec qui il était en contact fait des affaires avec les guérilleros. Il a proposé à Mateo de prendre des parts dans une de ses mines. En attendant qu'il gagne de l'argent, il lui a proposé d'habiter dans son hacienda. L'arrivée de Mateo le distrait de sa solitude et de sa vieillesse. Mateo me demande de venir les rejoindre. Je n'ai pas envie de partir d'ici. Mateo n'a plus besoin de moi. Il fallait que tu viennes parce que j'ai un service à te demander. Tu es le seul qui puisse me le rendre. Il s'agit de Toméo. Tu sais combien il m'est cher. Je n'ai pas réussi à gagner sa confiance. Je te demande de veiller sur lui. Je n'ai plus la force ni le désir de le faire moi-même. Le directeur de la pension s'est engagé à le garder. J'ai mis tout ce qu'il faut sur un compte pour régler tous les frais. Mais ça ne suffira pas à Toméo. Il a besoin d'un guide et d'un ami. Je te demande cela. Même si on s'est peu connu, je sais que tu peux le faire. »

Je pose ma main sur l'épaule un peu voûtée d'Aigle d'Or. Je lui donne ma parole : je veillerai sur Toméo, ainsi qu'il me le demande. Je le remercie de m'avoir fait rencontrer Nelly. Grâce à elle, je vais peut-être réussir à écrire mon scénario et à tourner mon film. Il sourit en entendant le nom de Nelly. Il a l'air apaisé et sûr de lui. Je sais maintenant pourquoi je suis venu le voir. Je ne lui raconte pas ce qui s'est passé depuis que j'ai quitté l'ancienne gare parce que je devine que ça ne l'intéresse pas. Mon histoire avec l'inspecteur ne le concerne pas. Je lui demande de dire à Mateo que je ne l'ai pas oublié et que je lui souhaite bonne chance pour sa nouvelle vie en Colombie. En sortant du bureau d'Aigle d'Or, j'aperçois Siegfried qui entre dans le troisième wagon. Il veille toujours sur l'ancienne gare et sur Aigle d'Or.

En revenant chez Ali, je me sens étrangement rasséréné. Je suis rassuré sur le sort d'Aigle d'Or. Quoi qu'il fasse, il fera ce qu'il doit faire. Je pense à la mission qu'il m'a confiée. À qui l'aurait-il confiée si je n'étais pas allé le voir ? Juste avant de me quitter, il a glissé dans la poche de mon veston une carte où il a écrit l'adresse de la pension de Toméo en Suisse.

La prison des Charmettes

J'aperçois l'épicerie d'Ali. Il doit être absent parce que le rideau de fer est tiré. La pluie me transperce et je tremble de froid. J'ai hâte de me retrouver bien au chaud dans son appartement. Soudain, une voiture grise s'arrête à ma hauteur. L'inspecteur ouvre la porte et me demande de monter. Il me dit, de sa voix stridente, que je suis en état d'arrestation. Il va me conduire directement à la prison des Charmettes, où la justice suivra son cours. Il a réuni contre moi deux témoignages accablants. Il a donc bien mené son enquête, ainsi qu'il m'en avait menacé. Il ne lui a sans doute pas été difficile de contraindre deux clients de la pension de famille de madame Zabée à faire de faux témoignages. Tous, plus ou moins, dépendent de son bon vouloir et ne peuvent lui refuser un service.

Je ne perds pas mon sang-froid et je lui demande la permission d'aller chercher mon sac à dos afin d'emmener mes affaires avec moi. Il me donne dix minutes pour monter et redescendre. Il a profité de ce qu'Ali n'était pas chez lui pour venir m'arrêter juste devant son épicerie. Il veut se prouver qu'il est le plus fort. Je laisse un mot à Ali sur la commode pour l'informer que l'inspecteur vient de m'arrêter et qu'il va me conduire à la prison des Charmettes. Pour organiser ma défense, je compte sur lui et sur le réseau de Tamza. C'est ma seule chance de m'en sortir.

Je me retrouve en prison, comme un vulgaire droit commun. Je suis accusé de l'assassinat de Marylin, avec préméditation. Dans leurs faux témoignages, les deux clients qui m'accusent racontent que Marylin avait peur de moi et qu'elle se sentait en danger. Ils parlent aussi de mon déséquilibre et de mon caractère violent et pervers. Je les aurais bousculés et maltraités sans raison. Je les aurais même menacés avec un couteau, le couteau qui a tué Marylin. Leur témoignage confirme ce qui est écrit dans mon dossier psychiatrique des prisons de Tamza et de Fort Gabo. L'inspecteur pense qu'il a bien monté son accusation et qu'il me sera difficile de me défendre. Même si par chance j'arrivais à prouver mon innocence, il est probable que je sois renvoyé à Tamza, comme un clandestin indésirable sur le territoire français.

La prison des Charmettes est située à la périphérie de Paris, dans un endroit désert. C'est une prison pilote qui fait la fierté du système pénitentiaire français. Certains habitants du quartier des Perles y font des séjours réguliers. Ma cellule ne ressemble pas à celles que j'ai connues à Tamza et à Fort Gabo. Elle est très propre, avec le confort. Je pourrais presque me croire dans la chambre d'un hôpital psychiatrique. Les gardiens sont polis avec moi. Je fais preuve de docilité et je joue au zombi, afin qu'ils me laissent tranquille. J'essaie de maîtriser mon inquiétude en réfléchissant à ma situation. Dans quelques jours, je serai convoqué chez le juge d'instruction. D'ici là, j'ai le temps de voir venir. Ali va sûrement se manifester très vite. L'inspecteur l'a provoqué en venant m'arrêter juste devant chez lui.

Je ne suis pas abattu malgré la gravité de ma situation. Une petite voix au fond de moi se fait entendre : « Tes anciennes épreuves ne te suffisaient pas, il t'en fallait encore une ? Qu'est-ce que tu cherches, Diego ? Je croyais que tu voulais t'en sortir et tu n'as rien trouvé de mieux que de te retrouver en prison. » Cette petite voix me parle comme une amie. Je ne suis pas tout seul, il y a quelqu'un au fond de moi qui s'intéresse à moi. Que penserait Aigle d'Or s'il apprenait que j'ai été arrêté quelques heures seulement après lui avoir donné ma parole de veiller sur Toméo ? Je réponds à la petite voix : « Tu as raison de croire que je veux m'en sortir. L'inspecteur a remporté la première manche, mais ça ne veut pas dire qu'il gagnera la partie. Aie confiance en moi, j'en ai besoin. »

En prison, tout est possible, je le sais d'expérience. Jamais je ne serais sorti vivant de Fort Gabo si je n'avais pas eu au fond de moi, dans les moments de plus grand désespoir, cette intuition que tout est possible. Je retrouve mes anciennes habitudes de prison. Je sais comment économiser mon énergie et vivre en me concentrant sur un seul objectif : m'en sortir. J'ai un projet : écrire mon scénario, et une mission : veiller sur Toméo. Je ne peux pas me permettre d'être déclaré coupable alors que je suis innocent de ce dont on m'accuse.

Comme je l'avais prévu, Ali a réagi très vite en lisant mon message. Il m'a écrit pour me dire de tenir bon. Il fera tout ce qui est en son pouvoir pour me faire sortir de prison au plus vite. Ce n'est pas la première fois qu'il aide un ami qui a des ennuis avec la justice. Son honneur est en jeu. Enfin, il peut engager la bataille contre l'inspecteur, depuis le temps qu'il en rêve. Il va prendre contact avec Si Luis, le grand patron du réseau de Tamza, afin de l'intéresser à cette affaire. Si Luis a les relations qu'il faut en haut lieu pour intervenir. Je remercie Ali de tout mon cœur. Je ne peux pas refuser son aide. J'ai besoin du réseau de Tamza. Tout seul, je serais perdu.

Je reçois très vite la visite de mon avocat : maître Lambrini. Il me dit qu'il fait partie des meilleurs avocats du barreau, capables de traiter les dossiers les plus délicats. C'est un homme conquérant et sûr de lui. Les membres du réseau de Tamza dont il est l'avocat attitré lui font une entière confiance. Il me parle avec autorité, comme si j'étais son subordonné. Pour lui, je ne suis qu'un clandestin sans importance. Son vrai client, c'est

Si Luis. Il lui sera facile d'aller voir les deux clients qui ont fait de faux témoignages contre moi et de les faire changer d'avis. Il a les arguments qu'il faut pour les convaincre. Il est en train de monter un très lourd dossier concernant l'inspecteur. Les faits sont accablants contre lui et contre ceux qu'il a servis et qui se sont servis de lui. Ses ennemis et ses victimes auront moins peur de témoigner maintenant qu'ils savent que le grand patron du réseau de Tamza a décidé de régler son compte à l'inspecteur. Si mon procès a lieu, il deviendra celui de l'inspecteur et de ses complices. Maître Lambrini pense que le juge d'instruction recevra des ordres pour éviter le procès et qu'il sera obligé de conclure à un non-lieu. Il vient de m'exposer sa stratégie. Mon innocence ne l'intéresse pas. Si j'étais coupable, il agirait avec la même détermination. À chaque rendez-vous chez le juge d'instruction, il sera à mes côtés et m'expliquera avant ce que je dois dire. Je n'aurai qu'à faire ce qu'il me demande. Je comprends que dans cette histoire, je ne suis qu'un pion dans une partie que le grand patron du réseau de Tamza a décidé de gagner pour s'assurer de son pouvoir.

Je profite de ce que je n'ai rien à faire pour travailler à mon scénario. Je dois reconnaître que la prison est propice à l'écriture. Je retrouve l'inspiration que j'avais eue à Fort Gabo quand j'écrivais sur mon cahier. Tout se mêle dans ma tête, Tamza et Fort Gabo, le Mouvement, le cinéma, le réseau de Tamza, la crique d'Ambre, Loisy, le quartier des Perles et la prison des Charmettes. Samir cherche une issue à l'échec et à l'errance de sa vie. À la prison des Charmettes où il est incarcéré après avoir été accusé de l'assassinat de Marylin, il sort peu à peu de sa prostration. Il réfléchit à ce que lui a dit Ali pour le réconforter : « Ne t'en fais pas. Nous te sortirons de là, tu es des nôtres. » Il a accepté l'aide d'Ali parce qu'il ne veut pas rester en prison. Il n'est pas venu clandestinement en France pour finir sa vie à la prison des Charmettes. Il y rencontre beaucoup d'immigrés et de clandestins comme lui qui ont perdu tout espoir. Ils deviennent des zombis ou des enragés. Il apprend à les connaître, il s'intéresse à leur histoire. Aucune n'est pareille, mais toutes pourtant se ressemblent. Il sait maintenant qu'il n'a aucun avenir en France s'il refuse d'entrer dans le réseau de Tamza. C'est grâce au réseau qu'il peut avoir un bon avocat et espérer bientôt sortir de prison, à la différence des autres détenus qui l'entourent. À aucun moment, il n'est tenté d'en faire partie. Il n'est pas un des leurs, comme Ali le lui a dit. Il ne le sera jamais. Il n'a pas donné sa jeunesse et sa vie au Mouvement pour finir dans le réseau. Il reste fidèle à son passé, même si le Mouvement est mort. Il ne croit pas qu'il réussira à faire du cinéma, comme il en avait rêvé. Le cinéma qu'il aurait voulu faire était lié au Mouvement. Il est trop tard pour lui pour tout. La mort de Marylin est l'annonce de sa propre mort. Il n'y a que sa mort qu'il puisse encore choisir, une fois qu'il aura réglé son compte à l'inspecteur. S'il veut sortir de prison, c'est aussi pour le tuer. Il a appris à tuer dans le Mouvement ceux qu'on appelait les ennemis de la révolution. Il saura venger Marylin, même si c'est inutile. Quand il aura accompli sa vengeance, il pourra se confronter à sa propre mort. Marylin revient sans cesse dans ses rêves. Il ne sait même plus qui elle était dans la vie. Il continue d'écrire le scénario qu'il voulait écrire pour elle. Il l'écrit pour lui-même, sans aucun espoir d'avoir un jour un lecteur.

L'écriture de mon scénario me donne le courage d'envoyer une lettre à Nelly pour lui apprendre que je suis incarcéré à la prison des Charmettes. J'essaie de la rassurer en lui disant que j'ai un très bon avocat payé par Si Luis, le grand patron du réseau de Tamza qui s'intéresse à mon sort. Je lui sers de prétexte pour régler ses comptes avec une certaine police française dont l'inspecteur n'est qu'un rouage. Je lui parle de mon scénario qui est en train de prendre forme grâce à cette nouvelle expérience de la prison. Samir n'est qu'un petit pion sur la grande scène du monde. Mais sa force et sa singularité est de chercher, envers et contre tout, à jouer sa propre partie. Je lui raconte aussi ma dernière rencontre avec Aigle d'Or et la mission qu'il m'a confiée.

Elle me répond qu'elle est bouleversée d'apprendre l'existence de Toméo. Je lui deviens plus proche, d'avoir été choisi par Aigle d'Or pour veiller sur son petit-fils. Elle m'écrit : « Mais comment allez-vous faire, dans votre situation ? Même si vous avez un non-lieu, vous serez renvoyé à Tamza. » Je lui réponds ce que m'a dit Ali : « en admettant que Luis intercède pour moi en haut lieu, je pourrai continuer à vivre en France ». Elle me demande pourquoi il ferait ça pour moi si je ne travaille pas pour lui : « Si vous entrez dans le réseau, vous ne vous appartiendrez plus. Le réseau, c'est pire que le Mouvement. »

Depuis que je suis à la prison des Charmettes, j'ai beaucoup réfléchi à cette question. Ce n'est pas sûr que le réseau soit pire que le Mouvement. Il n'a pas les mêmes lois ni les mêmes objectifs. Je n'ai pas la radicalité de Samir, ni la peur de Nelly. Il doit exister une façon de m'échapper. À moi de la trouver. Nelly voudrait venir me voir à la prison, mais je l'en dissuade. Je n'ai pas envie qu'elle m'embrouille l'esprit. Je préfère être seul avec moi-même pour finir d'écrire la première version de mon scénario.

Maître Lambrini est plein d'espoir. L'inspecteur a disparu du quartier des Perles et personne ne sait où il se cache. Les deux clients de la pension de famille de madame Zabée ont pris peur et se sont rétractés. Ils ont reconnu que l'inspecteur les avaient contraints à faire un faux témoignage. Le juge d'instruction n'a plus rien contre moi dans son dossier. Je vais bientôt sortir de la prison des Charmettes. Maître Lambrini ignore si je vais pouvoir rester en France, ou si je vais être renvoyé à Tamza. Ça ne dépend pas de lui, mais de Si Luis. Il me souhaite bonne chance. Pour lui, le dossier Diego Aki est classé. Il a remis au juge d'instruction le dossier qu'il a constitué à propos de l'inspecteur. C'est un dossier explosif classé rouge. La justice française va-t-elle inculper et juger l'inspecteur, au risque de déclencher un nouveau scandale ? Ce n'est pas ce que cherche Si Luis. Il préfère vivre en bonne entente avec les autorités françaises. Il lui suffit d'avoir montré de quoi il est capable. Quant à l'inspecteur, même s'il reste en liberté, sa carrière au quartier des Perles est finie. Il va vivre dans la peur, comme une bête traquée. Après ce qu'il a fait à Marylin, je ne peux lui souhaiter que le pire. Je n'ai pas perdu la partie contre lui, même si je ne l'ai pas gagnée. J'ai la satisfaction de n'avoir pas fui l'affrontement. C'est la moindre des choses que je pouvais faire pour Marylin et pour être en paix avec moi-même.

Un des gardiens m'a prévenu que j'allais être libéré pour laisser la place à un nouvel arrivant. La prison des Charmettes est de nouveau surpeuplée. Elle ne me laissera pas vraiment un mauvais souvenir. Je n'y ai pas été maltraité comme à Tamza et à Fort Gabo. Grâce à maître Lambrini qui a su s'y prendre avec eux, les gardiens m'ont traité avec un certain respect : j'avais beau être un clandestin victime d'une erreur judiciaire, comme tant d'autres, j'avais un avocat qui savait me défendre. Personne ne m'a volé le cahier où j'ai écrit la première version de mon scénario. Je le serre contre moi comme un trésor.

Juste avant de quitter la prison des Charmettes, j'écris une longue lettre à Toméo, à l'adresse indiquée sur le papier qu'Aigle d'Or a glissé dans la poche de mon veston : Pension de la Roseraie, 3 chemin Jean-Jacques Rousseau, Tomery, Suisse. Je lui raconte mon histoire et je lui dis qu'Aigle d'Or m'a choisi pour être son guide et son ami. J'espère qu'ensemble nous allons faire un bon bout de route. Je viendrai le voir dès que je le pourrai.

Je ne sais pas encore si les autorités françaises vont me laisser vivre en France. De toute façon, si je suis reconduit à Tamza, je repartirai en France clandestinement, comme j'y suis venu. J'ai des économies pour me payer un nouveau passage, sans avoir besoin de demander de l'aide à Lili.

Ali a tenu à venir me chercher lui-même à la prison des Charmettes. Il a loué une voiture pour cette occasion. Il me prend dans ses bras et il m'embrasse. Je fais partie de la famille maintenant, c'est ce qu'il me dit. « Si Luis a obtenu que tu puisses continuer à vivre en France. Tu as de la chance qu'il s'intéresse personnellement au cinéma. Il veut lire ton scénario. Si ça lui plaît, il t'aidera à le réaliser. Le réseau de Tamza a commencé de faire du mécénat en soutenant financièrement des artistes immigrés en France. Ça tombe juste au bon moment pour toi. ».

Je me rappelle ce qu'Amid m'avait dit d'Ali, qu'il avait été un sauveur pour de nombreux immigrés de Tamza. Je ne peux que le remercier à mon tour pour ce qu'il a fait pour moi. Il me dit, en riant cette fois : « Si tu réussis à faire ton film, je serai fier de moi. Quand les amis réussissent à s'en sortir grâce à moi, j'en rends grâce à Dieu. C'est le signe qu'Il est toujours de mon côté et ça me rassure. »

Ali me propose d'habiter de nouveau chez lui. « Tu n'as plus rien à craindre de l'inspecteur. Même s'il court toujours, il ne reviendra plus dans le quartier, lâche comme il est. » Je demande à Ali de ne pas m'en vouloir, mais je préfère désormais ne plus habiter le quartier des Perles. Avec les économies que je me suis faites en travaillant à la pension de famille de madame Zabée, je peux vivre le temps de trouver un nouveau travail. Ali me répond : « Comme tu veux. Mais sache qu'il y a toujours un matelas pour toi chez moi. N'oublie pas de me donner ton adresse afin que je puisse te joindre. Si Luis voudra sûrement te rencontrer quand il aura fini de lire ton scénario, pour te dire ce qu'il en pense. »

Ali me laisse porte de Choisy, comme je le lui demande. J'ai alors l'impression, même si c'est en partie une illusion, d'être enfin devenu un homme libre.

L'hôtel de la Perle Noire

Je me dirige vers le quartier chinois. Dans ce quartier aussi, un clandestin peut passer inaperçu. Je prends une chambre dans un petit hôtel, l'hôtel de la Perle Noire, le moins cher que je trouve et le plus discret. Les toilettes et les douches sont à l'étage. L'hôtel est habité par des Chinois qui vivent à plusieurs par chambre. Ils se relaient nuit et jour, car il y a les équipes de nuit et les équipes de jour dans les ateliers clandestins du quartier chinois. Le travail n'arrête jamais. Dans ce quartier aussi, la police ferme les yeux. Les clandestins, tant qu'ils ne posent pas de problèmes et restent à leur place, surtout les Chinois, sont les bienvenus en France. À l'étage, devant les douches et devant les toilettes, il y a la queue. Chacun attend patiemment son tour en racontant des histoires que je ne peux pas comprendre puisque je ne connais pas le chinois. Je me sens encore plus étranger avec eux qu'avec les Français que je croise dans les rues de Paris.

Nelly a une drôle de voix au téléphone quand je

l'appelle. L'hôtel de la Perle Noire est à deux pas de chez elle, je monte jusqu'à son appartement en courant presque. J'ai mon cahier avec moi et le trac aussi, car si Nelly pense que cette première version ne tient pas, je suis perdu. C'est ce scénario-là dont je veux faire un film, pas un autre, j'en suis sûr.

Elle est habillée en noir, comme la première fois où je l'ai vue. Elle a l'air perdu, elle ne pense même pas à me demander comment je suis sorti de la prison des Charmettes. Je n'ose pas lui donner mon cahier, pressentant que ce n'est pas le bon moment et qu'il a dû se passer quelque chose de grave depuis la dernière fois qu'on s'est écrit. Je me sens gêné, ne sachant quoi lui dire pour rompre le silence.

Je remarque sur l'un des murs du salon une photo d'Aigle d'Or, un magnifique portrait. La photo n'était pas là avant, je n'aurais pas pu ne pas la voir tellement elle rayonne dans la pièce. Ses cheveux roux frisés lui retombent sur les épaules, son regard est plein de force et de lumière. Il doit avoir vingt ans et il a fière allure, comme si le monde lui appartenait et qu'il défiait tous les obstacles. Sur le bureau, il y a une autre photo, d'Aigle d'Or et de Nelly au bord de la mer, enlacés, sur une jetée recouverte en partie par les vagues. On pourrait croire que l'une des vagues va les recouvrir et les emporter avec elle dans son reflux. Nelly porte un pantalon blanc et un pull marin, avec une casquette posée sur ses cheveux longs, aussi roux et frisés que

162

ceux d'Aigle d'Or. Je ne peux m'empêcher de penser :
« Qu'elle était belle alors ! »

Elle remarque mon regard. Elle me dit, avec des
larmes dans les yeux : « Non, vous ne vous trompez
pas, ces photos n'étaient pas là quand vous êtes venu
la première fois. Quand vous m'avez appris l'existence
de Toméo, j'ai voulu aller voir Aigle d'Or. C'était plus
fort que moi, il fallait que je lui parle. J'avais tant de
choses à lui dire. Mais il ne restait plus rien de
l'ancienne gare de Loisy. Elle avait sauté juste au
moment où les gendarmes s'approchaient de la barrière. Ils étaient venus pour faire sortir Aigle d'Or de
force. Aucune trace de son corps n'a été retrouvée dans
les décombres. Par bonheur, aucun gendarme n'a été
blessé au moment de l'explosion. Aigle d'Or n'a laissé
aucun message. Qu'est-ce qu'il a pu devenir ? »

La fin d'Aigle d'Or ne me surprend pas. Qu'importe
ce qu'il a pu devenir ! L'important est qu'il ait pu jouer
sa dernière scène, comme il le désirait. Je me demande
s'il a écrit une lettre à Toméo, pour lui expliquer qu'il
me passait le relais et que c'était à moi désormais de
m'occuper de lui. Ce ne sera pas facile pour lui d'être
le petit-fils d'Aigle d'Or.

Nelly s'aperçoit soudain que j'ai mon cahier à la
main. Elle me demande de le lui donner. Je sens qu'elle
est impatiente de le lire. Elle comprend qu'elle ignore

presque tout de la vie d'Aigle d'Or depuis qu'elle l'a quitté. Elle s'en veut de l'avoir abandonné. « J'ai manqué de courage. J'étais trop jeune. Sa démesure et son exaltation me faisaient peur. Je me demandais toujours dans quelle aventure il allait m'embarquer. C'est pour ça que je l'ai quitté, et non pas pour ne pas abandonner La Licorne, comme je lui ai dit. J'aurais dû partir avec lui en Afrique. Sa vie aurait pris un autre tour et la mienne aussi. Je me suis raccrochée au cinéma, comme si c'était ma seule raison de vivre. Mais qu'est-ce que j'ai fait dans le cinéma ? La Licorne a fait faillite. Je n'ai même jamais essayé de faire un court-métrage. Je suis devenue l'agent de tous les paumés du cinéma. Vous, au moins, vous voulez réaliser un film qui sera votre œuvre. Ma vie ressemble à celle d'Aigle d'Or, c'est une vie perdue, à cette différence que je n'ai rien tenté qui me mette en péril. Je n'ai même jamais quitté cet appartement de la porte de Choisy où j'ai vécu avec Aigle d'Or. Lui, au moins, il a participé aux révolutions africaines, il s'est remarié, il a eu une fille et un petit-fils. Ses échecs comptent moins que ce qu'il a tenté. Moi, je n'ai rien fait. Ma vie est complètement stérile ».

Quoi lui répondre ? Je comprends son désespoir. Il vaut mieux que je la laisse seule. Elle me dit qu'elle m'appellera dès qu'elle aura lu mon scénario. Elle a toujours envie de m'aider. Je suis son dernier lien avec Aigle d'Or. Je lui dis que j'habite tout près de chez elle, à l'hôtel de la Perle Noire.

Je pense à la fin que j'ai imaginé pour Aigle d'Or, si différente de celle qu'il a eue dans la vie. Mon scénario s'achève à l'aéroport de Roissy, au moment où Aigle d'Or embarque pour la Suisse. Il part rejoindre Toméo. Il s'est coupé les cheveux et les a teints en noir. Il porte un chapeau et des lunettes cerclées d'or. Dans son costume gris, avec son attaché-case, il ressemble à un homme d'affaire. Il passe sans difficulté le contrôle de police avec ses nouveaux papiers. Il ne ressemble à aucune des photos des terroristes recherchés par la police, accusés d'être impliqués dans l'attentat raté de la maison du maire de Loisy. Le policier qui le laisse passer ne le reconnaît pas. Parmi les photographies des terroristes figure pourtant la sienne, telle qu'il était du temps de l'ancienne gare de Loisy. Aigle d'Or a alors un étrange sourire, sur lequel s'achève mon scénario. Pense-t-il à Samir qui s'est fait exploser dans la maison vide du maire de Loisy, au lieu de partir rejoindre Mateo en Colombie ? Juste avant d'embarquer, il jette le passeport et le billet d'avion qu'il devait lui remettre à l'aéroport, ainsi que c'était convenu entre eux. Il tient à la main un cahier, le scénario que Samir a écrit et qu'il a abandonné dans l'ancienne gare, avant d'aller se faire sauter dans la maison du maire, profitant du moment où celui-ci venait de sortir. Il hésite, puis le jette aussi. Il hausse alors les épaules, comme s'il pensait : « Quel idiot, il n'a rien compris au film ! »

Je prends le RER jusqu'à Loisy. Le pavillon et le garage d'Amid sont fermés. Il y a un écriteau : « À vendre ».

Je vais à pied jusqu'à l'ancienne gare. Il n'en reste plus rien. L'explosion a détruit le bâtiment de l'ancienne gare et les trois wagons. Des ouvriers sont en train de vider les décombres. Le troisième wagon est en miettes et toutes les affaires de Mateo ont brûlé. Il ne reste rien de la bibliothèque du vieux lettré chinois. Je pense très fort à Aigle d'Or. Sa disparition est à l'image de sa vie, elle en est la conclusion. Je ne veux pas savoir ce qu'il est devenu. Ça n'aurait aucun sens.

Amid a quitté le garage de l'Avenir sans me prévenir. À la prison, il m'a écrit une seule fois, pour me dire qu'il était rassuré de me savoir entre les mains de maître Lambrini et que tout allait s'arranger pour moi. Il s'inquiétait surtout pour madame Zabée. Depuis la mort de Marylin, elle est entrée dans une profonde mélancolie. Elle ne parle plus du voyage qu'elle avait prévu de faire. Dès qu'il est question de l'inspecteur, elle est prise d'une agitation extrême.

Les ouvriers me font signe que je dois partir. L'ancienne gare de Loisy est devenue un chantier interdit au public.

L'apprentissage du métier

Nelly a lu mon scénario. Elle accepte de m'aider à le retravailler, elle trouve que ça en vaut la peine. Elle a envie de participer à l'aventure de mon film, du début jusqu'à la fin. « On arrivera à trouver l'argent, j'irai frapper à toutes les portes, j'ai rendu tant de services à mes amis du cinéma que cette fois ils pourront bien à leur tour me donner un coup de main ». Elle s'approprie mon projet, je sens qu'elle en a besoin pour survivre à la disparition d'Aigle d'Or.

Elle a un travail à me proposer. Elle peut me recommander comme assistant sur un tournage qui va commencer très bientôt. « C'est une amie à moi, Jessie, qui fait le film, une commande de Canal V qu'elle a acceptée, parce qu'elle n'arrivait plus à tourner. Le film se passe dans une cité de la banlieue parisienne. C'est l'histoire d'une jeune fille africaine. Je crois que vous pourrez lui être utile car elle n'a pas l'expérience de la banlieue. En même temps vous apprendrez le métier, Jessie est une professionnelle. Ça vous fera une bonne expérience avant votre tournage. »

Avec l'argent que je gagnerai comme assistant pendant le tournage, je pourrai sans problème continuer de payer ma chambre à l'hôtel de la Perle Noire. Elle me demande de ne pas la remercier. Elle m'aide parce que je suis venu la voir de la part d'Aigle d'Or et qu'il est devenu un des personnages principaux de mon scénario.

C'est ma première expérience de terrain. J'essaie tout de suite de me rendre indispensable. Je me dépense sans compter. Jessie s'appuie sur moi. Je fais tout ce qu'elle me demande : je fais les courses, je m'occupe des acteurs, je remplace le script qui se fait sans cesse porter malade, j'aide l'éclairagiste qui est souvent à moitié saoul dès qu'il arrive sur le plateau, je réponds aux questions et aux désirs de Jessie qui se comporte en petit tyran. Mon expérience à la pension de famille de madame Zabée m'aide beaucoup. J'ai appris à faire face à toutes les situations, dans la bonne humeur et le dévouement. Cette fois, je me dis que je travaille pour moi et que je fais mon apprentissage de cinéaste.

J'aime le travail en équipe, ça me rappelle le temps où j'étais dans le Mouvement. Je ne suis pas comme Jessie un solitaire. Travailler en solitaire est un handicap pour faire du cinéma, surtout quand on n'a pas réussi. Si je n'étais pas à ses côtés, elle n'arriverait pas à tourner son film de commande. L'équipe l'abandonnerait sans regret. Ce premier tournage me fait comprendre que le scénario n'est qu'une étape dans une longue aventure collective. Cette aventure collective me passionne, au moins autant que l'écriture du scénario. Je ne me suis pas trompé en voulant faire du cinéma.

Il y a un message d'Ali pour moi à l'hôtel de la Perle Noire. J'ai rendez-vous avec Si Luis, 3 passage de la Closerie, dans le septième arrondissement. Depuis ma sortie de la prison des Charmettes, j'avais oublié le réseau de Tamza. Si Luis se rappelle à moi, j'ai une dette envers lui. Il habite un bel hôtel particulier au milieu d'un jardin, au fond du passage de la Closerie. Une jeune Philippine me fait entrer et me conduit au bureau de Si Luis, où je suis attendu. Sur les murs du hall d'entrée, il y a des œuvres contemporaines, signées d'artistes cotés sur le marché international de l'art. Si Luis est un amateur d'art contemporain. Son bureau est décoré par un célèbre designer. Un feu flambe dans la cheminée devant laquelle somnole un doberman épanoui. Si Luis m'accueille comme si j'étais une de ses connaissances. Il est vêtu d'un costume d'intérieur en soie grège. Son visage est un peu lourd, avec une fine moustache. Il m'offre une coupe de champagne pour trinquer à notre rencontre. « Mettez-vous à l'aise, vous êtes ici chez vous. Je devine les épreuves et les souffrances que vous avez traversées, comme tous les clandestins qui quittent leur pays sans rien savoir de là où ils vont. Vous avez eu la chance de rencontrer de vrais amis. Notre réseau est un réseau d'entraide, vous le savez maintenant. Votre histoire est exemplaire, comme votre scénario. Je l'ai lu avec un grand intérêt. Le tragique destin de Samir contient un message : nous devons agir pour donner de l'espoir à ceux qui n'ont plus rien que leur révolte et leur désespoir. Nous devons nous dire : plus jamais ça ! Malgré vos maladresses et votre inexpérience, vous avez fait la preuve de votre talent. Nous avons besoin d'artistes qui défendent notre cause, celle des immigrés et des clandestins errant de par le monde, victimes d'un monde impitoyable. Nous en avons besoin pour nous réconcilier avec nous-mêmes. J'ai fait lire votre scénario à mes collaborateurs. Ils partagent mon point de vue. Vous méritez une aide pour terminer votre scénario et réaliser votre tournage. Nous sommes heureux de vous accorder la première bourse d'aide à la création cinématographique accordée par notre réseau à un cinéaste débutant originaire de Tamza. Le cinéma doit aussi être fait par ceux qui sont les plus démunis. Nous les y aiderons désormais. Je crois à cette nouvelle mission qui donne sens à notre réseau. »

Je suis tellement surpris par ce discours que je laisse tomber ma coupe de champagne sur le tapis. Si Luis me donne une tape amicale sur l'épaule et me reverse une deuxième coupe, tandis que la jeune Philippine nettoie discrètement le tapis. Si Luis me demande si j'ai trouvé un producteur. Sans hésiter, je donne le nom et l'adresse de Nelly. Si Luis regarde sa montre. Le temps qu'il avait à m'accorder est terminé. Il me souhaite bon courage et bonne chance pour la réalisation de mon film. Il ne manquera pas d'être présent à la première, avec ses amis. Il me donne une carte, avec le nom, Si Driss, et l'adresse de son collaborateur chargé des aides à la création. C'est lui désormais qui sera chargé de suivre mon dossier.

Malgré ses réticences, Nelly n'a pas d'autre choix que d'accepter cette bourse si elle veut réussir à monter la production. « J'ai fait lire votre scénario à tous mes amis. La plupart refuse pour l'instant de mettre de l'argent dans la production parce que c'est une opération financière risquée. Le sujet est difficile et le metteur en scène inconnu et inexpérimenté. Depuis l'échec de La Licorne, ils ne me font plus confiance. Pour eux, je suis une « has been ». Alors, l'aide à la création que vous allez recevoir du réseau de Tamza, je ne peux pas me permettre de la refuser. Sans elle, je ne sais pas si nous pourrions tourner notre film. Je vais prendre rendez-vous avec Si Driss pour régler avec lui certaines questions pratiques. »

Je suis reconnaissant à Nelly d'accepter d'être la directrice de la production, dans des conditions aussi peu gratifiantes pour elle. Je préfère ne pas avoir de relations personnelles avec Si Driss. Nelly saura, mieux que moi, défendre les exigences artistiques de la production.

Le tournage avec Jessie n'est pas encore terminé. À midi, elle m'emmène déjeuner au bistrot du coin. Elle m'encourage pour mon film : « Avec Nelly, tu es entre de bonnes mains. Ne te tracasse pas à cause de ta bourse, l'important est que tu réalises ton film. On a de moins en moins le choix de nos financements. Ça ne veut pas dire qu'on ne peut rien faire de personnel. Il faut inventer une nouvelle façon de résister. Si j'avais refusé de travailler pour Canal V, je ne pouvais plus rien faire. J'ai décidé de continuer à être moi-même, tout en leur donnant satisfaction. Je sais que ce n'est pas facile. Si tu n'avais pas été là, je crois même que j'aurais craqué. Tu as la chance d'avoir Nelly comme directrice de production. Elle ne se laissera pas manipuler par le réseau de Tamza qui n'y connaît rien en cinéma. Tu es son poulain. Elle te fera gagner la course. Elle a misé sur toi. Elle veut sûrement se prouver quelque chose. Elle n'a jamais encore pu donner sa mesure. Elle a une revanche à prendre. »

Les paroles de Jessie me font du bien. Je pense à Samir pour qui le cinéma et le Mouvement ne font qu'un. Il est trop entier et trop radical pour accepter de vivre dans un monde où le réseau de Tamza impose sa loi. À sa sortie de prison, il rentre en contact avec Lauren, l'amie de Marylin. Grâce à elle, il retrouve la trace de l'inspecteur. Quelques jours plus tard, l'inspecteur est retrouvé mort, un coup de couteau en plein cœur, dans une chambre d'hôtel près de la gare du

Nord. Samir a agi en professionnel, il n'a laissé aucune trace, aucun indice. Sa vengeance accomplie, il retourne voir Aigle d'Or à l'ancienne gare de Loisy. Aigle d'Or n'est pas surpris en le revoyant : « Je t'attendais. Je savais que tu reviendrais. Tu sais maintenant, comme moi, que la France n'est pas une terre d'asile. Il ne nous reste plus qu'à créer partout le désordre et le chaos. Je suis content que tu m'aides à me venger de la France qui laisse le maire de Loisy et son ami Ange Noir imposer leur loi. » Samir ne lui répond pas. Il est étranger à ses paroles. S'il accepte maintenant de faire sauter la maison du maire de Loisy, c'est seulement pour en finir avec sa vie, d'une façon parodique et spectaculaire, comme s'il était en train de tourner un film, ce film qu'il ne réalisera jamais. Que lui importent le maire de Loisy et son complice Ange Noir ! Ce ne sont pas eux qui décident de la marche du monde. Aigle d'Or ne comprend plus rien à ce qui se passe. Samir n'a aucune envie de se venger du maire de Loisy. Pour faire sauter sa maison, afin qu'il n'y ait aucune ambiguïté dans son geste, il attendra le moment où il sera seul. Quel beau tour il aura joué à Aigle d'Or qui lui offre en échange de son aide un billet d'avion et de l'argent pour rejoindre Mateo en Colombie !

Jessie m'invite à l'accompagner en boîte un samedi soir, pour me changer les idées : « Il faut que tu oublies un peu, Diego. Ne pense plus à l'inspecteur, ni au réseau de Tamza. Tu as besoin de danser et de boire, il n'y a pas de meilleur endroit que les boîtes pour se vider de tout ce qui vous hante. »

Je danse toute la nuit, comme à la base de Tarzis avec les nomades, en essayant d'entrer en transe. Mais je n'y arrive pas, la sono hurle trop fort, les visages des danseurs sont crispés, leurs regards perdus. Chacun danse comme un aveugle frôlant l'autre sans le voir, pour se vider, pas pour entrer en transe. Je finis par faire comme eux et moi aussi la danse me vide de tout ce qui me hantait.

J'écris une deuxième lettre à Toméo pour lui dire que je viendrai le voir après le tournage de mon film. Je lui raconte la fin d'Aigle d'Or. C'était à moi de le faire. Même si je ne connais pas encore Toméo, j'espère avoir avec lui un véritable échange. J'ai autant besoin de lui qu'il a besoin de moi. Je lui donne mon adresse pour qu'il puisse me répondre.

Le tournage

Nelly a réussi à trouver le financement pour commencer le tournage. Quand ils ont appris que j'avais obtenu une bourse d'aide à la création pour réaliser mon film, certains de ses anciens amis ont changé d'avis et se sont risqués à mettre de l'argent dans la production. La société de Si Luis est une société honorable puisqu'elle fait du mécénat.

Nelly est ma bonne étoile. Sans elle, rien n'aurait été possible. Mais elle doit penser que moi aussi je suis sa bonne étoile. Sans moi, jamais elle n'aurait pu ainsi s'investir personnellement dans un film. Elle aurait continué à faire l'agent pour tous ses amis qui sont dans la galère. Mon scénario est un peu le sien, avec le personnage d'Aigle d'Or au centre du film, complémentaire de Samir. Elle voudrait profiter de ce film pour recréer une petite maison de production dont elle serait la directrice. Elle retrouve son énergie et son esprit d'entreprise. Mon film représente pour elle le début d'une nouvelle vie, après la disparition d'Aigle d'Or.

Le plus bouleversant a été de revenir sur les lieux où j'ai vécu depuis mon arrivée en France. Le film commence à la crique d'Ambre. J'étais très ému en y arrivant avec mon équipe. J'espérais revoir Rita, lui raconter tout ce que j'avais vécu en France depuis que je l'avais rencontrée. Mais elle n'habite plus le cabanon où elle avait pourtant décidé de finir sa vie. Sur la porte, c'est écrit : « À louer ». La propriétaire a été ravie de nous le louer pour la semaine de tournage. Elle est fière que son cabanon devienne un décor de cinéma. Elle m'apprend que Rita est repartie faire du bateau avec des amis. Ils ont prévu d'aller jusqu'en Australie. Rita ne lui a pas dit si elle reviendrait. Je ne m'attendais pas à son départ. Ce n'est pas ainsi que j'avais prévu mon retour à la crique d'Ambre.

L'équipe est logée au village, dans une maison d'hôtes. Je dors seul dans le cabanon. Je retrouve les lumières et les parfums de la crique d'Ambre. Assis sur le rocking-chair de la terrasse, une fois le travail fini et l'équipe partie se reposer à la maison d'hôtes du village, je contemple la mer par où je suis arrivé, ignorant tout de ce qui m'attendait en France. Je me sens chez moi à la crique d'Ambre. Le jour, le cabanon est un décor, mais la nuit il redevient le cabanon, avec son pouvoir de rêve. Je suis heureux de l'avoir retrouvé, même si Rita ne l'habite plus. Nelly vient me tenir compagnie un moment parce qu'elle ne trouve pas le sommeil. Elle reste assise sur la terrasse, sans chercher à rompre mon silence. Le ciel est illuminé d'étoiles, l'air est d'une grande douceur. Comme moi, elle trouve que le cabanon est magique. Avec Nelly, on n'a pas besoin de parler pour se comprendre.

Le garage de l'Avenir et le pavillon d'Amid ont été vendus à monsieur Chen, le traiteur chinois de Loisy. Il veut développer son activité en profitant de l'emplacement du garage en bordure de la nationale. Le garage et le pavillon seront démolis. À la place, monsieur Chen veut faire construire un bâtiment moderne pour fabriquer et vendre ses produits. Il a aussi le projet d'ouvrir un restaurant. Amid a placé une partie de l'argent de la vente sur un compte épargne-logement, en prévision de sa retraite. Et il a gardé le reste pour accompagner madame Zabée dans son nouveau voyage autour du monde, quand elle aura décidé de partir. Il espère que ce voyage la guérira de sa mélancolie.

Monsieur Chen n'hésite pas à nous prêter le garage et le pavillon pour le tournage, juste avant leur démolition. Ils continueront d'exister grâce au film. Grand seigneur, il ne nous demande rien en échange. Il souhaite seulement que son nom figure dans le générique, parmi les sponsors. Dans le film, Amid a un rôle ingrat. À la différence d'Ali, il ne témoigne aucune solidarité à Samir quand il apprend qu'il est accusé de l'assassinat de Marylin. Son seul souci est de sauver madame Zabée. Le chef-opérateur filme longuement le garage comme s'il cherchait à percer son mystère. Il filme en gros plan les voitures accidentées et à moitié démontées qui s'entassent toujours dans le terrain attenant au garage. Monsieur Chen n'a pas encore eu le temps de les porter à la casse. Le garage de l'Avenir a dans le film une sinistre et menaçante présence.

Ali est fier d'avoir été à l'origine de la bourse à la création que le réseau m'a donnée. Il me félicite d'avoir réussi à finir mon scénario et d'avoir pu monter la production. Pour lui, c'est le signe que je suis en train de réussir dans le cinéma. Il veut me prouver qu'il est toujours mon ami : « Tu vois, toi aussi tu as eu ta chance. J'ai veillé à ce que tout se passe bien pour toi ». Il nous prête son épicerie et son appartement pour le tournage, sans nous demander d'argent. Il nous trouve une autre pension de famille, au fond d'un autre passage du quartier des Perles. Le passage et la pension ressemblent de façon troublante au passage du Soir et à la pension de madame Zabée. Je comprends qu'Ali doit être propriétaire de cette pension. La gérante nous demande le prix fort pour pouvoir tourner, car il faut qu'elle donne congé à ses pensionnaires. Ali assiste à toutes les scènes du tournage, pour être bien sûr que le film n'est pas une atteinte à sa vie professionnelle et privée.

Je me sens mal pendant tout le temps du tournage à la pension de famille. En dirigeant l'acteur qui joue Marylin, j'essaie d'imaginer ce qu'elle aurait pensé du personnage que j'ai inventé à partir de ma rencontre avec elle. J'ai donné à Samir l'amour que je n'ai pas eu pour elle. Je ne peux pas oublier qu'elle aurait voulu jouer dans mon film. Mais quel rôle aurais-je inventé pour elle si elle était restée en vie ? J'ai l'impression que sa mort a rendu possible l'écriture de mon scénario et que je commets un sacrilège en la mettant en scène. Comme moi, l'équipe a hâte que le tournage à la pension de famille s'achève. Tout le monde est sur les nerfs, sauf l'acteur qui joue Samir. Il semble être absent de son personnage. C'est sa façon de jouer, qui produit un effet très perturbant. Nelly pense que c'est le seul jeu juste, toutes les autres façons de jouer paraîtraient fausses.

Ali a surgi en plein tournage, tout excité. Il voulait me parler immédiatement. « J'ai une bonne nouvelle pour toi, une vraie bonne nouvelle. Le corps de l'inspecteur a été retrouvé au fond du canal Saint-Martin. Il était tout fendu et déchiré de coups de couteau. Les amis de Marylin se sont vengés. Il a eu ce qu'il méritait. Je ne pense pas que l'enquête aboutisse. Les amis de Marylin n'ont pas laissé d'indices. De toute façon, la police française n'a pas intérêt à enquêter sur la vie de l'inspecteur, trop de saletés et d'horreurs remonteraient à la surface qui pourraient en éclabousser plus d'un. Comme pour Marylin, l'enquête sera classée. Tu n'as plus à te faire de soucis. »

Ali a raison, c'est une bonne nouvelle. Mais pour Marylin, ça ne change rien à sa mort horrible. L'inspecteur a été tué, mais il y en a beaucoup d'autres comme lui de par le monde dont les crimes restent impunis et qui vivent dans l'opulence et les honneurs parce qu'ils ont été récompensés pour leurs crimes. À Tamza, il y en a un certain nombre, tous des amis ou des proches du régime. Avec mes camarades, on a échoué à changer le monde. Certains d'entre eux ont subi le sort de Marylin. D'autres, comme moi, ont gâché leur vie en prison et dans la clandestinité. Certains ont su s'adapter et enterrer leurs rêves. Il y en a même quelques-uns qui ont maintenant à Tamza des postes importants. Lili a eu raison de m'encourager à partir. Je n'ai pas à avoir de regrets. Il n'y a pas de place pour moi à Tamza. Je n'ai pas changé d'idées même si le Mouvement était un rêve. Le cinéma que je suis en train de faire est habité par ce rêve.

Toméo

Nelly n'a pas encore fini son travail de directrice de production. Elle se démène pour que notre film ait le meilleur lancement dans sa catégorie. Grâce aux relations de Si Driss, elle a réussi à le faire sélectionner pour une projection en avant-première au festival de Watobo, qui récompense l'œuvre d'un jeune réalisateur des pays du Sud. Malgré mon âge, je fais partie des jeunes réalisateurs puisque c'est mon premier film.

Je n'ai pas envie d'aller à Watobo. J'ai demandé à Nelly d'y aller à ma place. Je sais qu'elle en a très envie. Je suis heureux pour elle, parce que c'est aussi son film. Son nom figure à côté du mien dans le générique et sur l'affiche : *Le Clandestin*, de Diego Aki et Nelly Anderson. Pour la première fois, nos noms sont associés. J'ai tenu à ce que mon premier film soit co-signé, parce que sans elle il n'aurait jamais vu le jour. Elle n'a pas refusé tellement elle est heureuse d'apparaître enfin comme une cinéaste.

Le Clandestin a été primé au festival de Watobo et c'est Nelly qui a reçu le prix pour nous deux. Si

Luis était présent à la remise du prix. Il a fait un très beau discours pour présenter la nouvelle politique de mécénat du réseau de Tamza, qui privilégiera désormais l'aide aux jeunes réalisateurs originaires des pays du Sud.

À son retour, je suis allé la chercher à l'aéroport et je l'ai emmenée dîner à La Cloche d'Argent pour fêter notre prix. Elle est émue que j'aie eu cette attention. Elle me complimente pour mon costume que je me suis acheté exprès pour cette occasion. Je veux qu'elle soit fière de moi. Je tiens à commander les meilleurs plats accompagnés d'un très bon vin. On trinque au *Clandestin* qu'on est arrivés ensemble à écrire et à tourner, on trinque aussi à sa nouvelle maison de production dont l'aventure ne fait que commencer. Pour tous les deux, ce film représente l'espoir d'une nouvelle vie. L'histoire que j'ai avec elle ne ressemble pas à celles que j'ai connues. Je la raccompagne jusque chez elle, puis je regagne ma chambre à l'hôtel de la Perle Noire.

En France, *Le Clandestin* est diffusé dans les salles qui reconnaissent le premier prix du festival de Watobo. Nelly aime aller le présenter et expliquer son histoire aux spectateurs. Elle est un peu déçue que je ne l'accompagne pas. J'ai beau avoir obtenu ma carte de séjour, je continue à vivre en retrait, comme si j'étais toujours un clandestin. Je ne veux pas raconter publiquement mon histoire. Je ne suis pas guéri de ce que j'ai vécu et imaginé. J'ai besoin de solitude et d'anonymat. Avec l'argent du *Clandestin,* je peux vivre un moment sans penser à gagner d'argent. Je n'ai pas de gros besoins. L'important est d'avoir mes papiers et de me sentir libre.

Lauren est venue me voir à l'hôtel, Ali lui avait donné mon adresse. Elle a quelque chose d'important à me dire. « Je voulais que tu saches : c'est moi qui ai tué l'inspecteur. Je ne pouvais supporter qu'il continue de vivre en liberté après ce qu'il a fait à Marylin. Il a été plus bas que tout, il s'est traîné à mes pieds et m'a offert tout ce qu'il possédait si je lui laissais la vie sauve. Il m'a même donné les noms de ceux pour qui il avait travaillé. J'ai été sans pitié. J'avais besoin de cette vengeance pour essayer de me délivrer de cette vision terrible de Marylin ensanglantée sur son lit. Quand je l'ai tué, j'étais comme une furie. Jamais je n'aurais cru avoir une telle violence. Je ne regrette pas de l'avoir tué de la même façon qu'il a tué Marlyn. Mais ça ne m'a pas délivrée, comme je l'espérais. Maintenant, j'ai peur de devenir folle. »

Je la prends dans mes bras, sans rien dire. Elle ajoute : « J'ai vu ton film. Il m'a bouleversée. Tu n'as pas trahi Marylin. Je voulais te remercier pour elle et pour nous toutes. Tu nous a aimées, sans même qu'on s'en rende compte. Ton film m'aide d'une certaine façon. Il me donne de la force pour essayer de lutter contre la folie qui rôde. » Et puis elle est partie, sans que je sache ce qu'elle allait devenir. Ce qu'elle vient de me confier, je ne le dirai à personne.

Nelly et moi sommes invités à présenter notre film au Centre culturel français de Tamza qui vient d'ouvrir. Je ne m'attendais pas à cette invitation. J'ai eu envie de déchirer la lettre du directeur, mais j'ai pensé à Nelly qui a tant envie d'aller à Tamza. De nouveau, elle est allée seule présenter *Le Clandestin*. Je lui ai demandé de rendre visite à Lili et de lui remettre une enveloppe. J'y ai mis tout l'argent que je pouvais lui donner, l'argent gagné avec mon premier film. Je sais qu'elle en a besoin.

Lili a tenu à venir voir le film, même si elle ne voit presque plus. Elle a entendu les paroles et imaginé les images. Elle a beaucoup pleuré parce qu'elle croyait que j'étais mort et que Nelly lui mentait en lui disant que ce n'était pas moi qui mourais à la fin du film, mais Samir, mon double. Nelly a trouvé que Lili n'avait plus toute sa tête. Elle s'inquiète pour Amid qui ne lui répond plus. Elle se demande pourquoi il est parti en voyage, lui qui refusait de quitter Loisy. Elle devine qu'il l'a abandonnée. En le perdant, elle perd sa raison de vivre. Elle ne s'est pas réjouie du succès d'estime que *Le Clandestin* a rencontré au Centre culturel français de Tamza, parce que je n'étais pas là pour partager sa joie. Elle ne comprend pas que je ne sois pas venu puisque je suis toujours vivant. Elle a dit à Nelly que j'étais un ingrat.

En me rapportant ses paroles, Nelly semblait penser que Lili avait raison. Son voyage à Tamza l'a beaucoup impressionnée. Elle compte y revenir en vacances, pour aller marcher dans le désert. Elle ne comprend pas que je ne sois pas venu à Tamza présenter mon film et faire cette joie à Lili avant qu'elle ne meure, car Nelly en a le pressentiment, son heure est proche. Comment lui expliquer que je n'ai pas pu ? Comme Amid, pour d'autres raisons, je ne peux pas revenir à Tamza, dussé-je pour Lili être un ingrat.

Toméo m'a écrit après avoir reçu ma deuxième lettre. « *Si tu es mon guide et mon ami, il faut que tu viennes me chercher. Je suis resté à la pension de la Roseraie parce que c'était la volonté d'Aigle d'Or et que je ne pouvais pas lui désobéir. Il m'imposait sa loi. Je ne suis pas un malade mental comme le directeur a voulu le lui faire croire. Je suis inadapté à la vie de la pension. Je n'arrive pas à m'intéresser à ce qu'on nous apprend. Je ne ressemble pas aux autres élèves qui sont tous des fils de nababs africains. Je ne veux pas devenir comme eux. Aucun traitement ne peut me guérir de ce mal. Je veux que tu m'aides à devenir moi-même. J'ai envie de comprendre le monde dans lequel je vis. J'ai envie d'apprendre un métier qui me permettra d'agir contre les forces qui le détruisent. Pour l'instant, c'est comme si je n'avais existé qu'à travers le rêve d'Aigle d'Or. Il enfermait dans son rêve tous ceux qu'il aimait. Il ne m'a jamais traité comme un enfant. Quand il venait me voir à la pension, il me parlait toujours de son histoire. Il ne cherchait pas à savoir qui j'étais ni ce que je ressentais. C'est une mutilation dont je souffre toujours. J'ai dû beaucoup le décevoir car j'ai résisté de toutes mes forces. Je ne voulais pas lui ressembler, ni à Lola ma mère qui m'a rejeté. Je sais que ce n'est pas de sa faute, mais je ne peux pas lui pardonner. Je ne veux ressembler à personne. Je t'attends avec impatience. Ça me réconforte qu'Aigle d'Or ait pensé à moi en te demandant de t'occuper de moi. C'est la preuve qu'il m'aimait. Je n'ai pas su répondre à son amour. Quand il venait me voir, je m'enfermais dans mon mutisme, comme si je n'éprouvais rien pour lui. Je ne voulais pas savoir que je l'aimais, parce que j'avais peur. J'ai grandi dans la peur. Il me parlait de l'argent qu'il mettait de côté pour moi sur un compte en Suisse. Comment aurais-je pu lui dire que je ne voulais pas de cet argent ? Je regrette maintenant de m'être comporté ainsi avec lui. Au lieu d'être son réconfort, j'ai aggravé sa détresse et son sentiment d'échec. Je ne crois pas qu'il m'aurait écouté si j'avais essayé de lui parler. Il n'écoutait que lui. Avec toi, je l'espère, je pourrai parler. Je n'ai encore jamais parlé à quelqu'un de réel. À la pension, je me suis inventé un ami en Afrique à qui j'écrivais des lettres. Je lui racontais ce que je vivais, ce que je pensais. Sans ces lettres, je serais sans doute devenu ce malade mental que le directeur de la pension croit que je suis. Il ignore que je me suis inventé mon propre remède. Pour que mes lettres ne m'encombrent pas, je les ai envoyées en Afrique, à la poste restante du village où je suis né. J'ai adressé mes lettres « à l'ami inconnu qui m'a aidé à vivre ». J'espère que tu accepteras de ne pas te servir de l'argent d'Aigle d'Or. À ma majorité, je voudrais le donner à une association qui se bat pour la paix en Afrique. Ma grand-mère est morte dans un massacre et ça a rendu folle ma mère. Aigle d'Or adorait l'Afrique et l'Afrique l'a détruit. J'en fais des cauchemars toutes les nuits. Ne tarde pas trop à venir. Toméo. »*

J'ai lu et relu cette lettre, en me demandant si je serais capable de répondre à la demande de Toméo. Il paraît si mûr et si lucide pour son âge. Quel effort a-t-il dû faire sur lui-même pour pouvoir parler ainsi de ce qu'il a vécu jusqu'à maintenant !

Je n'ai plus rien à faire à Paris. Je retourne à la crique d'Ambre. Le cabanon est toujours à louer, à la semaine, au mois ou à l'année. Je le loue pour un an.

Je fais un détour par la Suisse. J'ai prévenu Toméo de mon arrivée. Il m'attend devant le grand portail de la pension de la Roseraie. Il a déjà fait ses valises. Le directeur accepte qu'il parte avec moi pour la fin du dernier trimestre et les vacances. Si l'essai est concluant, je serai nommé tuteur de Toméo jusqu'à sa majorité. Il a l'air soulagé de cet arrangement.

Toméo ressemble de façon troublante à Lola, avec

ses cheveux bruns tout frisés, ses yeux vert pâle et sa peau noire. Il est grand pour son âge et il me regarde dans les yeux, sans avoir peur. « Ainsi, c'est toi, Diego Aki ! Je ne t'imaginais pas ainsi. Je suis content que tu sois venu me chercher. Je ne sais pas ce qui se serait passé si j'avais dû continuer à vivre à la pension. Ça ne pouvait plus continuer. J'étais à bouts de force. Où est-ce que tu m'emmènes ? »

Je lui parle de la crique d'Ambre et du cabanon que j'ai loué pour un an. « Le village n'est pas loin. Tu pourras aller étudier au collège. Tu as tout le temps pour découvrir ce que tu veux faire plus tard. »

À la crique d'Ambre, c'est déjà presque l'été. En découvrant la terrasse du cabanon, Toméo me dit : « C'est ici que je veux vivre. De l'autre côté de la mer, c'est l'Afrique. Toi aussi, tu viens d'Afrique. On est originaire du même continent, même si on n'est pas du même pays. Mais de quel pays on est, maintenant ? »

Je n'ai pas de réponse à sa question.

Dans l'ancienne chambre de Rita, il y a un vieux chien endormi au pied du lit. Il aboie joyeusement pour nous accueillir. Je raconte à Toméo ma rencontre avec Rita, le matin de mon arrivée en France et l'histoire de son chien. Toméo décide d'adopter le chien et de l'appeler Syge, même si ce n'est pas le chien de Rita.

On va se baigner avec Syge, juste au moment où le

soleil se couche. Le ciel est tout vert, strié de lamelles d'or. Toméo me précède sur le chemin en courant. Il plonge du haut d'un rocher. Il rapporte triomphalement une étoile de mer et me la donne. « Qu'elle nous protège du malheur » me dit-il avec gravité.

CET OUVRAGE A ÉTÉ ACHEVÉ D'IMPRIMER
LE SEPT JUIN DEUX MILLE CINQ DANS LES
ATELIERS DE NORMANDIE ROTO IMPRESSION S.A.S.
À LONRAI (61250) (FRANCE)
N° D'ÉDITEUR : 4109
N° D'IMPRIMEUR : 050526

Dépôt légal : septembre 2005